JN107359

佐藤優というタブー

佐高信

旬報社

はじめに――佐藤優は雑学クイズ王

まず、次の佐藤批判を読んでほしい。

〈創価学会御用達の佐藤優が、『AERA』でダラダラと「池田大作研究」を続けている。二〇二〇年九月二八日号の第三七回が特に卑劣な学会擁護だった。『創価学会を斬る』（日新報道）の著者、藤原弘達が内閣調査室（内閣情報調査室の前身）と「緊密な関係」を持っていたとして、「言論・出版妨害なるものは、創られたスキャンダルなのである」と「創価学会の認識」を紹介する。これは学会べったりの佐藤の「認識」でもある。そして、「藤原が中立的な評論家ではなく、政府の意向を体現する工作に組み込まれた有識者であったことは、言論問題を考察する際に無視できない要因だ」と指摘する。

ここを読んで私は笑ってしまった。佐藤は自分を「中立的な」作家と位置付けているのか、ということである。

藤原のように内調から工作されなくても（あるいは、工作されたのか）、国策と称する原子力発電の推進に協力する〝原発文化人〟はたくさんいる。佐藤もその一人である。

彼は二〇一六年三月二日付の『東奥日報』の電気事業連合会の「全面広告」に出て、「エネルギー安全保障の観点から原子力発電の必要性を強調」している。おそらく最低でも一〇〇〇万円はもらっているだろうが、その金額を明らかにしてから「内調から藤原に金銭の流れもあった」とか言え。

自らも「外務省の政策を理解する記者や有識者を増やすこと」が「重要な仕事の一つ」だったという佐藤に、内調や外務省のそうした「仕事」が卑劣なものであるという認識がない。だから、目くそ鼻くそを笑うようなことが書けるのだろう。

藤原は最初「左に行くか右に行くか分からない存在」で、首相だった岸信介との会談を経て保守色を強めていったと言うが、学会がそもそも「左に行くか右に行くか分らない存在」だったのではないか。それで、言論・出版妨害問題への非難から逃れるためとはいえ、共産党との創共協定まで結んだ。その経緯と舞台裏は拙著『池田大作と宮本顕治』（平凡社新書）に詳述したが、『創価学会を斬る』をめぐる妨害問題について、無頼のジャーナリストの竹中労は次のように喝破した。

「声を大にしていわねばならない。言論表現はその内容にかかわらず、コンプリート（完全）に自由でなくてはならないのであります。小生は、藤原弘達氏の著書がたとえばハナ紙にもあたいしない、最低の内容を持つものであっても、貴学会の今回の出版妨害に激しく抗議し、ペンが折れるまで声が涸れるまで、非を鳴らしてやまぬでありましょう。小生自身、いく度か自由な言論を妨害されてきた経験を持ちます」

見事な主張であり、覚悟だと思うが、佐藤にはそんな矜持《きょうじ》はカケラも感じられない。

この妨害に抗議して、五木寛之、野坂昭如、結城昌治、梶山季之、佐野洋、戸川昌子が創価学会系の潮出版社の出版物への執筆拒否を宣言した。

佐藤は、これらの作家も内調に工作されたと言うのだろうか。

たやすく工作される、もしくはそうした工作に手を染めてきた人間が、その視点からこうした卑しいことを書く。この「研究」に池田大作と学会員は大喜びしているに違いない。〉

これを例年出す時評集に収録しようとしたら、佐藤の本を出すつもりがあるので、はずしてほしいと言われた。

とりわけ創価学会員に多くの読者を持つ佐藤は、いま、出版界ではタブーになっているらしい。不本意だったが、では、そのタブーを破る出版社から、まとまった佐藤批判を出そうと思って、引き下がった。それがこの本である。

かつて、講談社から出した内橋克人と私の対談の本の、渡部昇一批判の部分が問題になったことがある。『知的生活の方法』（講談社現代新書）というベストセラーを出している渡部に忖度して、担当者はその部分を削ってほしいと言った。しかし、内橋も私も、ならば出版をやめると押し返した。

結局、話が局長のところまで行って、削らずに出すことになった。局長は、渡部の本も渡部批判の本も両方出せばいいんだと言ったと聞く。

渡部も別に問題にせず、内橋と私の共著もそれなりに売れた。

佐藤が、自分を批判する本を出すな、と圧力をかけているとは思わない。しかし、それを気にする人間であることは、竹中平蔵批判の本に大宅壮一ノンフィクション賞の選考委員として賞を与えることに同意して、その言いわけを述べていることからも明らかだろう。

結局は読者が判定するのである。タブーに挑戦すべき出版界がタブーをつくってはならない。

佐藤も、批判大いにけっこう、と宣言すべきではないか。

私は二冊も佐藤と共著を出した責任を感じて、ここで佐藤批判を、特に佐藤ファンの読者に届けたい。

佐藤は端的に言えば〝雑学クイズ王〟である。確かに博学であり、小さなことまでよく知っている。しかし、それは断片的なものであり、生きてはいない。知識の剝製と言ったらいいか。干物の知識である。

そうでなければ、マルクスを語りながら、新自由主義の竹中平蔵を礼讃できるわけがない。

佐藤は私との共著『喧嘩の勝ち方』（光文社）で、私が竹中を「マック竹中」もしくは「パソナ平蔵」だと断罪すると、こう持ち上げた。

「佐高さんの竹中批判、うまいんですよ。路線の批判じゃなくて品性の批判ですから。人格攻撃の一本で、ぐっと決めちゃうわけですからね」

そして、次のように続けたのである。

「僕はダメなんですよ。喧嘩の仕方の中で一つ弱点があって、佐高さんに前に指摘されたことがあるんですけどね。やっぱり相手が、よく本を読んでいたりとか、私がわかる範囲の学問の分野のところで、尊敬できる業績を残してると甘くなっちゃうんです」

問わず語りに、生き方と知識を分離させていることを告白している。

だから、クリスチャンを自称しながら、創価学会は世界宗教になると平気で言うことができるのだろう。

安岡正篤という陽明学者がいた。歴代総理の御意見番とかいわれたが、安岡にイカれたのは佐藤栄作、福田赳夫、大平正芳等の官僚出身の首相だった。石橋湛山、田中角栄、三木武夫等の党人派は安岡を師と仰がなかったのである。例外的に元官僚の宮澤喜一も安岡に師事していない。

漢学の素養を誇示し、出処進退の大事なことなどを説く安岡の説教を佐藤栄作等はありがたがって聞いたのだが、湛山や角栄は安岡にかぶれなかった。自ら判断したのである。

受験勉強的知識に弱くなかった。

安岡よりはずいぶん小物だが、佐藤優も安岡に似たところがある。クイズの答的知識の多さに圧倒されるのは、自立した判断力を持たない優等生である。

数年前に私は、こんな経験もした。

前に対談の共著を出しているジャーナリストと再び共著を出す話が決まり、最初の対談が行われる日、出版社に行くと、佐藤とも親交のある彼は、

「佐高さんと本を出すと、佐藤さんはどう思うだろうか」

と心配を口にする。

「気にしないだろう」

と答えたが、グズグズしているので、

「じゃ、やめよう」

と言って別れた。

権力批判を共にするジャーナリストなので、ここで名前は出さない。佐藤もこれに関わって名前を出されるのは迷惑かもしれないが、タブーはこういう形でも進行しているのである。やはり、この状況は打破しなければならないだろう。

目次

三―メディアの読み方……81

四――読書日記……123

おわりに――佐藤優の地金……203

一——右顧左眄する臆病なオタク、佐藤優

佐藤優にとっての三つのタブー

タブーになっている佐藤にとってのタブーは、人物で挙げれば、池田大作、鈴木宗男、竹中平蔵の三人である。

まず、池田だが、創価学会と公明党の御用商人となっている佐藤は、ご本尊の池田をこれでもか、これでもか、と持ち上げる。

その集大成的決定版が『池田大作研究』（朝日新聞出版）。副題が「世界宗教への道を追う」で、思わず、正気か、と尋ねたくなる。

創価学会からは、こちらが佐藤に頼んでいるわけではないという声が聞こえてくる。

つまり、佐藤のほうが押しつけ的に熱愛しているわけで、歯の浮くようなお世辞を並べている『池田大作研究』を読んで、胸ヤケしないほうがおかしい。

「筆者は、以前より、『行き過ぎた政教分離』を克服することが創価学会と公明党にとって重要な課題であると指摘してきた」

佐藤はこう書いているが、学会と公明党はとっくに「政教分離」など放棄しているではないか。

佐藤と学会の癒着を越えた融合についてはこれまでも批判してきたので、以下の記述を参照してほしい。

私は二〇二〇年に『池田大作と宮本顕治』（平凡社新書）を出して、創価学会と日本共産党が協定を結んだ舞台裏を描いた。

拙著と『大作研究』を比較して読めば、後者がいかに池田に寄ったものかがわかるだろう。そして、佐藤が何を隠したかったかもわかるはずである。

第二のタブーは、運命共同体のように固い契りで結ばれた鈴木宗男である。汚職疑惑で共に捕まったが故に、互いに裏切らない、あるいは裏切れない関係にあり、手錠でつながれた逃亡犯のように、右に行くにも左に行くのも一緒に動かなければならない。

鈴木が反自民になれば反自民になり、親自民となれば自分も親自民となる。私は二〇一九年春に鈴木を「大地に足がついていない」と批判した。

丸山穂高が抜けて鈴木宗男が入る。維新のメンバー変更だが、これだけでも穂高と宗男が同じ穴のムジナであることはわかるだろう。

さまざまな政党を漂流して、宗男は〝大地〟に足がついていない。

二〇一五年一月二七日、「佐高信政治塾」で対談した私に宗男はこう断言した。

「改革というのは民衆からの、下から目線の改革でなければなりません。真の政権は下からの盛り上がりがなければいけない。小泉（純一郎）さんだとか安倍（晋三）さんだとかの上から押し付けるやり方は改革ではなくて、明らかに圧力なんです。真の改革は下からわき上がる声だということを私はいつでも肝に銘じていたいんです」

その舌の根も乾かぬうちに宗男は、安倍自民党と手を組んだ。娘の貴子を当選させるためという目的もあったらしいが、醜悪極まりない。

維新の本拠地・大阪で、公明党と維新はもめている。公明党に太いパイプを持つ鈴木を安倍は交渉人として使いたかったのかもしれない。

二〇〇〇年六月の総選挙当時、宗男は自民党の総務局長だった。幹事長が宗男のボスの野中広務である。

この選挙で宗男は自民党の純粋小選挙区候補者にハッパをかけた。

「小選挙区は自分と書かせ、比例区は公明党と書くように訴えろ」

さらに、

「公明党の応援を死ぬ気でやれー」

と命じた。

この時の恩があるために、公明党は宗男が〝疑惑の総合商社〟と呼ばれて糾弾された際に、強く非難はせず、むしろ、かばっている印象さえ与えた。

「これだけ党の名誉を傷つけ、国民の信頼を失わせたのだから議員辞職すべきだ。重用してきた野中氏にも責任がある」

同じ派閥の議員からもこういう声が出て、野中は宗男の離党で事態を収拾することを決意し、親しかった公明党幹事長の冬柴鉄三に、

「自民党でちゃんと離党処分するから、党内を抑えてくれ」

と要請した。

それを受けて冬柴が中央幹部会で、

「率先して辞任を迫るのはいかがなものか」

と発言し、逆に若手から突き上げられる一幕もあった。

先年、いわゆる「失言」で大臣をやめた桜田義孝という議員がいる。あるいは汚職で追いつめられて自殺した松岡利勝などの議員は自民党時代の宗男の盟友で、宗男が政治資金を配っていた面々である。下地幹郎などという問題議員もそうだが、いずれも、宗男を中心とする「ムネムネ会」のメンバーだった。

「類は友を呼ぶ」ということだろう。黒い宗男のまわりには黒い仲間が集まるということで、早く足を洗ってもらいたいものだ。

佐藤だけでなく、鈴木も親公明、つまり、創価学会と癒着しているのである。

私は「土下座をした鈴木宗男の卑屈と傲慢」と題して、次のように書いたこともある。

〈土下座をする人間が嫌いである。土下座をする人間は容易に他人に土下座をさせる人間だからで

ある。

へりくだっているように見えて、人間を軽んじている。土下座をして見せれば、相手は言うことを聞くと、人間を軽視していなければ土下座はできない。

鈴木宗男が参院選の自民党候補の応援で土下座をしているのを見て、宗男の正体見たり、と思った。

結局、その候補は落ちたのだから、土下座の効果はなかったわけである。

それまでは民主党と一緒にやっていて、娘の貴子もそこから出たのに、安倍晋三からちょっと声をかけられたくらいで、直ちに自民党側に転ぶ。そんな宗男は精神的にも〝土下座人間〟だと言わなければならない。

彼は『闇権力の執行人』（講談社）の中で新党「大地」を立ち上げたことに触れ、こう言っている。

「人間は大地の恵みで生かされている。多くの人がこの原理原則を忘れてしまったために、モノ・カネ優先の風潮が蔓延し、故郷に愛情を持てなくなったのではないだろうか。私自身、故郷への愛情をいつも基点に据えて政治活動を行っているつもりだったが、中央政治で権力に近づくなかで、いつのまにか初心から離れていたことに気づいた」

一度は「気づいた」のである。しかし、寒い北海道を故郷とする宗男にとって、「権力」は〝外套〟のようなものだった。権力から離れて長くなると肌寒くなって、また、それを着たくなってしまったのである。

郷里の後輩である歌手の松山千春と共に宗男は「大地」をつくった。宗男が告白する。

「松山さんとは、新党を作るに当たって『大地に還り、大地に学ぶ』という原点に帰ろうという話をしていた。北海道に住む人たちは、基本的に反中央権力だ。これは北海道人が反体制、革命を志向しているということではない。つねに時の中央権力に抵抗する気質をもっているのは確かだが、それはフロンティア精神の伝統につながっていくものだと思っている」

自分の書いたこの箇所を宗男はじっくり読み返してみたらどうか。「北海道に住む人たち」は宗男が「時の中央権力に抵抗する気質」を失い、中央権力に安易にすり寄ったことを許さなかったのだ。だから、宗男が土下座してまで応援した自民党の候補を落選させたのである。

フロンティア精神を汚した宗男を、北海道の人たちは今度こそ見放したということではないだろうか。

宗男は「いまになって考えてみると、私は応援団として、外務官僚の負の要素ばかり守ってしまった」と後悔している。しかし、宗男自身が負の存在だから、そうなってしまったのである。〉

三人目のタブーは竹中平蔵だが、佐藤は私との共著『世界と闘う「読書術」』（集英社新書）で、竹中を最大限に評価した。

「神話は常に必要ですからね。でも、その神話の中でひときわ輝いているのは竹中平蔵さんでしょう」

それで私が、佐々木実の『竹中平蔵　市場と権力』（講談社文庫）という竹中批判の本はなかなかいいところをついている、と反論すると、佐藤は

「『市場と権力』は話題になっているので読んでみました。しかし、今一つピンとこない。まず、竹中氏の学術論文の内容に踏み込んでいない。それに竹中さんが蓄財しているというのが批判のポイントになっているが、竹中さんの能力と人脈をもってすれば、はるかに巨額の富を作ることができました。竹中さんが自己抑制のきいたカリスマ性のある人物だということが、この作品からは見えない」

パソナの会長になって派遣労働を増大させ、国民ひとりひとりの購買力をなくしても、そういう能力があるなら蓄財しても構わないらしい。

私は竹中を「自己抑制」のきかない人物として『竹中平蔵への退場勧告』（旬報社）で批判したが、佐藤は正反対の評価をしている。竹中にカリスマ性を感じているのだから、つけるクスリはないと言わざるをえない。

こんな佐藤を、二〇二〇年暮に、二階俊博、菅義偉、王貞治らと共に銀座の高級ステーキ店で八人の会食をしてブーイングを浴びた政治評論家の森田実が「当代随一の文筆家」であり、「超一流の言論人」と礼讃している。そして、「偉大な魂を持った佐藤優氏の益々のご健筆とご活躍を心より祈って」いるのだが、類は友を呼ぶということだろうか。森田と佐藤には創価学会べったりとい

う共通点がある。

佐藤優はソウカの狗

「喪家の狗」という漢語がある。喪中の家の犬、もしくは宿なし犬のことである。やつれて元気のない人をそう呼ぶこともあるが、創価（学会）の犬でもある佐藤優は太ってはいても、やつれてはいない。

池田大作著とされる『新・人間革命』をそのまま無批判に引き写した『池田大作研究』（朝日新聞出版）を出したり、原発推進の新聞広告に出たり、宿なし犬は誰でも主人にするのかとあきれるほど忙しい。

大阪都構想問題で公明党は先の住民投票の時は反対していたのに、維新に脅されて、今度は賛成にまわるという醜態をさらけだしたが、公明党支持の佐藤と同じ迷走ぶりである。

大体、「内在的論理から人と思想に迫る」といううたい文句の『池田大作研究』は、とりわけ池田にとっては都合の悪いテーマには触れない。たとえば、私が『池田大作と宮本顕治』（平凡社新書）で展開した創価学会と共産党の協定の問題などは取り上げないのである。

テキスト・クリティークなきテキスト持ち上げの佐藤にとっては、池田と宮本の『人生対談』（毎日新聞社）でさえ手に余るのだろう。

すぐにマルクスを持ち出す佐藤にだまされる読者も多いようだが、新自由主義の竹中平蔵を礼讃する佐藤のマルクス論をどうして信じられるのか。

あれもいい、これもいい、味方になってくれるなら誰でもいいの佐藤に教えてもらわなければならないほど、マルクス主義は安っぽいものなのか。

拙著『竹中平蔵への退場勧告』(旬報社)でも指摘したが、佐藤の竹中への卑屈さは異常なレベルである。

佐藤は『竹中先生、これからの「世界経済」について本音を話していいですか?』(ワニブックス)という長ったらしい題の竹中との共著で、こんな見苦しい言いわけをしている。

〈私は大宅壮一ノンフィクション賞の選考委員をやっていて、竹中さんを批判した『市場と権力「改革」に憑かれた経済学者の肖像』(佐々木実著・講談社)の受賞選考にも関わったことがある。

この時、作品の構成、論理の展開については、佐々木氏の腕がいいことは認めざるを得なかった。賞の選考に関しては、良し悪しと好き嫌いを混同してはいけないと私は考えている。

しかし、私が選評を書くことになったので、「竹中さんについてはまったく認識が違う」ということを明らかにした。選評を読んでもらえばわかると思うが、受賞作なのにけっこう厳しく書いている。

この件に関しても竹中さんが立派だと思うのは、私が選考に関わっていることを知っているにもかかわらず、「よくもこんな本に賞を出しやがって。もうお前とは会わない」などと怒っているわけでもないし、そういう雰囲気を微塵《みじん》も感じさせないことだ。やはり竹中さんは度量が広いし、国際基準からいっても彼はインテリなのである〉

私は佐藤と違って、竹中を「度量が広い」とも思わないし、「インテリ」だとも認定しない。竹中と違って、共著もある佐藤の劣化に怒って、私は「もう会わない」と思っているが、こんな弁解を書くより、佐藤はマルクスと竹中がどう一致するのかを説明すべきだろう。

『国家の罠』は読んではいけない

極めて評判の高い佐藤優『国家の罠――外務省のラスプーチンと呼ばれて』(新潮社)を挙げて驚く人も多いだろう。驚くどころか反発する人も少なくないに違いない。

しかし、「外務省のラスプーチン」と呼ばれた著者が守ったのは果たして「国益」だったのだろうか。

この本に〝好敵手〟的に登場する西村(尚芳)という検事に、

「僕や東郷さんや鈴木さんが潰れても田中(真紀子外相)を追い出しただけでも国益ですよ」

と著者が語る場面がある。

ロシア通の東郷和彦という上司や鈴木宗男が潰れても、田中を追い出しただけでもよかったというわけだが、それは著者の考える国益であり、実は外務省の省益に過ぎないのではないか。

私は、田中を、外務省の機密費疑惑のフタをもう一度開けようとした人として評価している。開けられて困るのは、〝影の外相〟と呼ばれてそれにフタをした福田康夫（当時の官房長官）と外務官僚であり、彼らから集中的に真紀子スキャンダルがマスコミに流された。

そして結局、小泉純一郎は田中のクビを切り、機密費疑惑のフタをもう一度締め直したのである。不思議なことに、この本には機密費疑惑のことがまったく出てこない。それを追及することは、著者によれば国益（ならぬ省益）に反することなのだろう。

小泉政権の誕生により、日本人の排外主義的ナショナリズムが急速に強まった、と著者は書く。しかし、それは小泉だけの責任ではなく、憲法の掲げる平和主義に基づく外交を積極的に展開してこなかった外務官僚の責任でもある。

国連の安全保障理事会の常任理事国になりたがり、そのことは必然的に核を保有することにつながるのを隠して大国主義をあおったのも彼らの責任だろう。

著者はやはり、外務官僚であり、簡単に省益と国益をイコールで結んでいる。

外務省は田中外相が乗り込むまでは〝ムネオ省〟だった。それを正常と言い切る著者のこの本は、外務官僚の怠惰と腐敗、もしくは無能と卑屈を覆い隠す働きをしてしまうのではないかと憂慮する。

知識の〝武器商人〟佐藤優

前略　佐藤優殿

二冊も共著を出した者として、そろそろケジメをつけなければならないと思ったのは、あなたの「お抱え」があまりに露骨になってきたからです。

三つありますが、まず、電気事業連合会（電事連）のお抱えですね。あなたは二〇一六年三月二日付の『東奥日報』の電事連の「全面広告」に出て、「エネルギー安全保障の観点から原子力発電の必要性を強調」しています。〝原発文化人〟の仲間入りをしたということですね。言論人がＰＲ頁に出るのもどうかなと私は思います。熊本の大地震でも川内原発を止めようとしない政府や九州電力にとっては心強い味方でしょう。拙著の『原発文化人50人斬り』（光文社知恵の森文庫）が増刷されたら、是非あなたを加えたいと思います。

二つ目が「新自由主義」のお抱えですね。あなたは『竹中先生、これからの「世界経済」について本音を話していいですか？』（ワニブックス）という竹中平蔵との共著で、「竹中さんに対して『新自由主義者だ』などというレッテルを貼ったり、あるいは『権力に近い御用学者で、本当の学者じゃない』などと批判したりするのは、四分の三ぐらいが嫉妬、残りの四分の一が偏見だといえる」と書いています。

私は竹中を学者ではなく、ピンハネ業者のパソナの会長として軽蔑しています。だから嫉妬のしようがありません。『いじめと妬み』などという本を出した渡部昇一と同じように、あなたは批判者をそうした次元でしか見られないのですね。むしろ、あなたの中に嫉妬や怨念が渦巻いているのでしょう。何度か会って話したあなたに、私は知識を感じたことはあっても世にもてはやされるほどの知性を感じたことはありません。

竹中サンも尊敬するけど、マルクス経済学者の鎌倉孝夫さんも尊敬すると言って恥じないところに私はあなたの打算を感じますし、敵にも味方にも武器を売る武器商人的狡猾さを知覚するのです。あなたは私との共著『世界と闘う「読書術」』（集英社新書）で、鶴見俊輔さんを「何だかずるっこい感じがする」と言いましたが、「ずるっこい」のは敵味方の区別なく知識という武器を売るあなたではありませんか。

そのオタク的知識に恐れをなして、多くのメディアがあなたに群がっていますが、しょせん「百科辞典」は「百科辞典」でしかないでしょう。

竹中とあなたはＴＰＰについては積極的推進で一致しているとのことですから、「新自由主義」のお抱えになることによって安倍（晋三）政権に協力するということですね。盟友の鈴木宗男と共に、そして創価学会（公明党）と共に自公連立政権を支えていくということでしょう。『創価学会と平和主義』（朝日新書）に続いて、あなたが公明党代表の山口那津男《なつお》と出した『いま、公明党が考えていること』（潮新書）は無惨な本でした。なぜ、ここまで創価学会および公明党に膝を屈してお抱えにならなければならないのか。この集団の読者を当てにしなければ、ベストセラー作家としての地位が揺らぐからですか。

安保法制ならぬ戦争法に公明党は歯止めをかけたのだと、あなたは力説していますが、それを信ずるのは学会の従順な信者たちだけでしょう。

はじめに結論ありき、つまり公明党および学会を擁護すると決めて、あとからリクツづけするところに、私はあなたの官僚的体質の残滓を見ました。学会について書くと余計な敵をつくるから止めた方がいいと言われたそうですが、批判した場合にのみ、「余計な敵」が出てくるのです。

紫陽花どころではない佐藤優の七変化

紫陽花の季節である。この花は青から赤紫へ変化する。それで七変化と呼ばれるが、黒かと思えば白、白かと思えば黒と、時と場所によって平気で変化する人間もいる。ベストセラー作家の佐藤優である。メディアそのものがそうなのか、正体がつかめないほどに彼は媒体によって意見を変える。あるいは、自分自身で、どの意見が自分の意見なのか、分からなくなっているのかもしれない。
それにしても、『週刊新潮』二〇一六年七月七日号掲載の「JAグループ」提供頁で、JA全中会長の奥野長衛と対談しているのには驚いた。

JAは完全にTPP反対の旗を降ろしたのだろうか。それとも、あまり佐藤の言説を知らずに対談を頼んだのか。

「佐藤さんは、著書の中で、資本主義社会の行き着く先は恐慌と戦争だと唱えられていますね。新自由主義は、結局のところ、湖にブラックバスを放つようなもので、在来の魚は全部、駆逐されて、最後は共食いの道をたどるしかない」

奥野はこう語り掛けているが、佐藤は新自由主義者の竹中平蔵との共著『竹中先生、これからの「世界経済」について本音を話していいですか?』(ワニブックス)で、

「TPPに関してはわれわれ二人の意見が完全に一致しています。積極的に進めるべきだし、また、この流れを止めることができません」

と言い切っている。この発言を知っていて「協同組合」のPRを頼んだのか?

この奥野の問い掛けに、佐藤はもっともらしく次のように答える。

「その状況に一条の灯りを点すのが、『協同組合』の存在ではないか、と私は考えています。協同組合の良さというのは、みんなで助け合う、つまり共助の精神です。一方、新自由主義的な経済政

策においては、補助金交付などの公助の範囲が狭められ、自助の部分が肥大してゆく。共助の重要性がクローズアップされるのは当然のことだと思います。自助、公助の間にあって、足りないところをバランスよく補う。そこに協同組合が担う共助の意義がある」

白を黒と言いくるめて、よく言うよ、と私は佐藤の厚顔にあぜんとする。協同組合の上に「農業」を付ければよくわかるが、竹中らは新自由主義的政策で農業協同組合、つまり農協をつぶそうとしているのである。その盟友の佐藤を登場させて、しれっとこんなことを言わせるとは、JAはアホだとしか言いようがない。

佐藤はやはり役人出身らしく、その場その場で状況に合わせたことを言う。ほぼ一〇年前に佐藤の『国家の罠』（新潮文庫）がベストセラーになった時、『週刊金曜日』の「読んではいけない」欄でこれを取り上げ、次のように警告したのを思い出す。

まず、〝外務省のラスプーチン〟と呼ばれた佐藤が守ったのは果たして「国益」だったのかと疑問を呈し、この本に〝好敵手〟的に登場する西村（尚芳）という検事に、

「僕や東郷さんや鈴木さんがつぶれても田中（真紀子外相）を追い出しただけでも国益ですよ」

と佐藤が語る場面を例に挙げた。

ロシア通の東郷和彦という上司や鈴木宗男が潰れても、当時外相だった田中を追い出しただけでもよかったというわけだが、それは佐藤の考える国益であり、実は外務省の省益にすぎなかったの

である。

土下座した佐藤優の批判恐怖症

二〇一四年暮、辺見庸《へんみよう》と私の共著『絶望という抵抗』（金曜日）を差し出すと、佐藤優はパラパラとめくって、自分への批判の箇所を読み、私の面前で激しく辺見を罵倒し始めた。それを目《ま》の当たりにしながら私は、佐藤には批判を食って太るたくましさはないんだなと思った。

辺見は、佐藤が「創価学会の皆さん、よく頑張った。あなた方がいなければ、とんでもない集団的自衛権になっていました」と主張したと指弾し、これはまさに一九二〇年、三〇年代にナチス政権が取り込んだ情況と基本的に同じだと批判している。

たしかに佐藤は『創価学会と平和主義』（朝日新書）で「公明党がブレーキ役として与党にいなければ、憲法に制約されない集団的自衛権の行使が閣議決定されていた」と公明党および創価学会を讃えているが、では、「一人の学会員として」安保法制という名の戦争法に反対した天野達志らはどうなるのか。創価学会員ではない佐藤より、池田大作センセイの思想を理解していないから反対していると言いたいのか。

「安保法に反対する創価大学・創価女子短大関係者有志の会呼びかけ人」の氏家法雄《うじいえのりお》は『宗教と現

代がわかる本　2016』（平凡社）の座談会で、賛成者は、日本会議系の憲法学者のコメントを載せた『公明新聞』の記事の受け売りをするだけだったと落胆している。「識者も太鼓判」に安心して「考えなくなった」現在の学会の反知性主義の惨状に戦慄しているのだが、佐藤もその「識者」の一人として、天野らを〝村八分〟的状況に追い込む側にまわったことは否定できないだろう。批判にアレルギーを感じた佐藤が、絶対帰依の池田信仰に凝り固まった創価学会に近づくのは必然だったのかもしれない。

そして佐藤は信じられない自己礼讃に走る。『日刊ゲンダイ』の「週末オススメ本ミシュラン」で宮家邦彦と自分の共著『世界史の大転換』（ＰＨＰ新書）を挙げ、三ツ星をつけたのである。ルール違反の自画自讃だろう。しかし、これは自信がある故ではない。批判恐怖症の自信のなさの結果である。いま佐藤は、ある意味でバランスを失ってしまっている。

もうひとつ驚いたのは、佐藤が土下座をしたことがあるということだった。

佐藤の盟友の鈴木宗男が『月刊日本』に「いまどき、あえて土下座する話」として書いている。先の参院選で鈴木は、自民党候補の柿木克弘のために土下座をしたというのである。民主党から鞍替えして自民党入りした鈴木の娘の貴子は、

「鈴木（新党大地）代表は娘である私の選挙でも土下座したことはありません。柿木さん、鈴木宗男の心、想いを是非ともわかって頂きたい」

と挨拶したとか。

これで会場の空気がガラッと変わったというが、そこまでしても柿木は落選した。

そして鈴木は「私のために土下座してくださる人もいた」として、佐藤の名を挙げる。

二〇一一年九月二一日、毎年恒例の「鈴木宗男を叱咤激励する会」で、鈴木は喜連川社会復帰促進センターに服役中だったが、歌手の松山千春が「本人がいないにもかかわらず、これだけの大勢の方々にお集りいただき……」と土下座し、佐藤も「皆さんの助けで鈴木さんも政治活動をさせて下さい」と土下座したという。

自分が土下座する人間は容易に他人を土下座させる人間である。よほど人間をバカにしていなければ土下座などできるものではない。佐藤よ、お前もか！　私は信じられない思いでいっぱいだった。

〝危険な思想家〟佐藤優

出す本すべてがベストセラーといった感じの佐藤優に、仙台で開いていた「佐高信政治塾」の講師として来てもらったのは、二〇一一年の春だった。

「現代日本をこう読む」というテーマで、佐藤に私が話を聞く形をとったのだが、社民党の支持者、なかでも社青同（日本社会主義青年同盟）出身者が多い出席者を前に、いきなり佐藤はこんな打ち明け話をして会場をどよめかせた。

「今日は社民党の方が大勢来ていますが、私は実は高校生のときは社青同でした。社会主義協会の向坂逸郎先生の門下でした。それで仙台は社会主義協会、社青同の拠点ですから、強く憧れました。少し、歴史の運命が違っていたら、東北大学でマルクス経済学を学び、社会主義協会の専従になっていたかもしれません」

私も知らない告白だったので驚いた。

その前段で佐藤は、母親は沖縄の久米島の出身だが、父方の祖父母は福島の出身で、八〇代の伯父と伯母が仙台に住んでいる、と説明している。

だから、いろいろな意味で、今日ここに来られたのは感無量なんです、と話して会場の空気を一気につかんだ佐藤は、さらに、「いま、世の中では土井たか子さんや佐高さんは〝左派〟と見られていますが、一昔前の社会主義協会の感覚から見ると、彼らは〝右翼社民〟ですよ」と断定して笑いを誘った。

高校時代はマルキスト、「死を覚えて」クリスチャンに

では、なぜ佐藤はマルキストであることをやめてクリスチャンになったのか？

早熟な佐藤がマルキストになったのは浦和高校生時代である。マルクスが「阿片」として斥ける宗教の神とはどんなものかに興味を持ったと述懐していたこともあるが、「佐高塾」では、自ら、

それをこう解説している。

「社会主義運動や政治運動は基本的に〝目に見える世界〟のことを考える。しかし、キリスト教に触れて、人間には確実に〝目に見えない世界〟があるんだなと、そういう思いを持つようになったんですね。ですから京都学派の哲学者の田辺元が晩年に書いた『メメントーモリ』を読んだ。これはラテン語で『死を覚えよ』という意味です」

つまり、佐藤は生と死の双方に深く通じているというわけだろう。

私が佐藤の『獄中記』（岩波現代文庫）を読んで驚いたのは、その勉強の凄さもさることながら、獄から出たくなかったということである。

「出たところで、別にいいこともないな、と思って」と言って会場を笑わせた佐藤は、検事が、「こんなところに長くいると気が滅入ってきて、知らず知らずのうちに健康を害したりする。早く出なさい」と二回ほど説得に来たとも言った。

とにかく勉強したい人なのである。

「佐藤優逮捕」の報に接した米原万里からの電話

そんな佐藤と私は、猪瀬直樹が都知事になったとき、すぐに『週刊金曜日』で批判の対談をやった。佐藤は猪瀬を〝本物のニセモノ〟と断罪し、対談のタイトルはそのまま「本物のニセモノがやってきた」になった。

その後、私は同誌の「抵抗人名録」に佐藤を取り上げ、次のように書いたが、後半部分だけを引こう。〈「端的に言って佐藤は毒をもっている。それは薬になる毒であり、毒にも薬にもならない輩《やから》が、薄っぺらなレッテルを貼って佐藤を非難するのは、私に言わせれば、ちゃんちゃらおかしい。『ユリイカ』の〇九年一月号は米原万里特集だが、そこに書かれた佐藤の一文を読んで衝撃を受けた。〇二年五月一三日発売の『週刊現代』で、外務省のラスプーチンこと佐藤を東京地検が逮捕することを決めた、とスクープされるや、親交のあった米原から、電話がかかる。

「あなた、今晩あいていない。私と食事しよう」

「あいてるけれど無理ですよ。記者たちに囲まれて、集団登下校状態なんです。マスコミをまくことができません」

そう答える佐藤に、米原は、「いいわよ、記者たちがついてきても」と言ったが、米原はマスコミの前に姿をさらすことで、佐藤に対する大バッシングの防波堤になろうとしたのだった。

「組織が人を切るときの怖さを話しておきたいの。私は共産党に査問されたことがある。あのときは殺されるんじゃないかと本当に怖かったわ。共産党も外務省も組織は一緒よ」

米原は佐藤を信頼していたのであり、身体を張って、それを示そうとした。佐藤とは当時それほど親しくなかったから、私は思いもつかなかったが、同じことができるかと私は米原から問われたような気がした。猫好きの佐藤には、送っている拙著より、ついでに添えた『ねこ新聞』の方が嬉

しかったかもしれない」〉

『ねこ新聞』というのがあるのである。月刊で、二〇一四年に、創刊二〇周年を迎えた。猫好きにはたまらない新聞だが、佐藤は私との共著『喧嘩の勝ち方』（光文社）の「あとがき」にこう書いている。

「二〇一四年一月一日　東京都新宿区曙橋の自宅にて、わが家に五匹いるネコの中で、喧嘩がいちばん強いタマ（去勢済み、推定三歳）を抱きながら」

〝矮小な思想家〟佐藤優が守ろうとした〝国益〟

私は最初、佐藤の『国家の罠』（新潮文庫）に疑義を唱えた。

〝外務省のラスプーチン〟と呼ばれた佐藤が守ったのは「国益」ではなく、「省益」なのではないかと指摘したのだが、省益と国益が一致するとの擬制において行動する役人だった佐藤は、それだけに国家の恐ろしさを知っている。たとえば、自分は人権派ではなく国権派ながら、死刑は基本的に廃止すべきだと考えるという。死刑という剝き出しの暴力によって国民を抑えるような国家は弱い国家だと思うからである。そして、ヨーロッパ諸国が死刑を廃止したのは、国権の観点から見て、死刑によって国民を威嚇したりしない国家の方が、国民の信頼感を獲得し、結果として国家体制を強化するという認識があるからだと続ける。

〝危険な思想家〟佐藤優の面目躍如だろう。山田宗睦が『危険な思想家』（光文社）を書いたとき、たしか、名指しされた三島由紀夫は、思想はもともと危険なものであり、〝安全な思想家〟とはどういう存在だと開き直った。この三島の反論には、やはり、ある真実が含まれている。

まさに博覧強記で、あらゆることに通じている佐藤だが、それゆえに知識過剰な人間に弱い。私がほとんど関心のない評論家の柄谷行人にイカれているように見えるのはその一面だろう。

その後、佐藤は創価学会への傾斜を深め、私から見ると「矮小な作家」となっている。

コウモリ党と創価学会をかばう佐藤優へ

あなたは二〇一八年二月三日付の『琉球新報』で、名護市長選の争点は明白に辺野古新基地だと言っています。ならば、それに反対する稲嶺進を見捨て、実質賛成の渡具知豊を推薦した公明党ならぬコウモリ党をかばうのは筋が通らないのではありませんか。公明党はモリカケ問題のキーパーソン、佐川宣寿（現国税庁長官）の国会招致にも応じていません。池田大作が亡くなった場合の相続税の問題で、とりわけ財務省とはケンカしたくないからでしょうか。

あなたは松岡幹夫との共著『創価学会を語る』（第三文明社）で、こう言っています。

「安保法制の問題は、反対派が言うほど重大な問題ではないと私は思います。この程度のことで公明党・創価学会から離れていく人は、それだけの人ですよ。むしろ今は、『本当の味方かどうか？』を見極めるいい機会と言えるかもしれません」

また、鳥肌の立つ、こんな発言もしています。

「創価学会の人たちと話をしていて感じるのは、皆さんが『戦争のできない体になっている』ということです（笑）。つまり、平和主義が体の芯にまでしみ渡っていて、さまざまな立場の学会員がどこでどんな行動をとっても、無意識のうちに平和の方向に進んでしまうようになっているのです」

この二つの指摘を重ね合わせると、「平和主義が体の芯にまでしみ渡ってい」ない創価学会員が安保法制に反対したということになりますね。

「この程度のこと」に私も懸命に反対しましたから、あなたにとって私は「本当の味方」ではない敵だということでしょう。

私からは公明党は自民党の〝下駄の雪〟を続けてきて、完全に与党ボケしているとしか思えませんが、代表の山口那津男との共著『いま、公明党が考えていること』（潮新書）で、あなたは、「私はよく沖縄に出かけるわけですが、沖縄の離島はどこに行っても公明党の地方組織がよく整っています。実は沖縄の離島政策においては、公明党が非常に大きな影響を行使できるのです。母が久米島出身の私としては、公明党の沖縄政策にはおおいに期待しています」と語っていますが、「公明党の沖縄政策」は軍事基地容認から始まるわけですね。また、あなたは『創価学会と平和主義』（朝日新書）で、鈴木宗男が国会に戻って衆議院外務委員長になった時、公明党の赤松正雄が、「あのとき（鈴木宗男疑惑のとき）、大変失礼な言い方でございますが、たたき上げの鈴木宗男代議士は、自分自身をたたかれるんではなくて、周りをたたかれてのし上がってこられた方だというふうな言い方をしてしまいましたけれども、その後の、御自身の法廷闘争だけではなくて、外務省との闘い、さまざまな面で教えられるところが多い。

また、佐藤優さんとそれから鈴木宗男代議士との何といいますか例えようもない友情というか、そういうものを、さまざまな著作を通じて、一生懸命読ませていただいて、教えられるところが多い、このように申し上げさせていただきまして、回答は要りませんので、私の感想とさせていただきます」

と発言したことを引き、これは「創価学会や公明党のもつ、組織の文化」から出たものであり、「失ってほしくない価値観」だと指摘しています。私には、コウモリ党の代議士らしい状況適応型、いや、状況便乗型の発言としか見えませんが、あなたは感心しています。

いずれにせよ、コウモリを応援し続けるあなたの頭の中ではマルクスと池田大作は同じように偉大なのですね。

佐藤優をスケッチする

佐藤優は北原みのりとの対論『性と国家』（河出書房新社）で、こう告白している。

「裁判の期間中は、『国家の罠』とか『獄中記』とか、あんなことを書いても全然怖くなかったんです。執行猶予中も実は全然怖くなかった。ところが執行猶予が満了したら……執行猶予って何の通知も来ないんだけど、そのままその日を迎えて執行猶予終了になったのが二〇一三年六月三十日。七月一日になった瞬間、死ぬほど怖くなったんです。その瞬間まではすごい緊張感があるから逆に保てていたんだけど、それからは、ものすごく国家権力やマスコミが怖くなった」

ここに佐藤の言動の秘密を解くカギがある。つまり、すべては恐怖から発しているのだ。それで、少しでも味方をふやそうと、さまざまな媒体に顔を出す。こんな所にまでと驚くほどだが、そうすれば自分に批判的な言論は載らないと思っているのかもしれない。

しかし、恐怖から発する言論が歪まないはずがない。

久野収は林達夫とのダイアローグ『思想のドラマトゥルギー』（平凡社ライブラリー）で、次のように述懐している。

「天皇制と言えば、戦争中、林さんにお会いしたおり、天皇制とは何かに対する警戒と恐怖の前もってする一種の予防体制であり、その何かの方がかえって正統派なんだ、天皇制が日本の正統派であるはずがない、と言われて僕は腹の底から揺り動かされましたね」

クリスチャンでありながら、創価学会の池田大作の代弁者と言われても仕方がないほど学会に肩入れするのも、「一種の予防体制」として、いざという時には援護してほしいということなのだろう。

そうでなければ、池上彰との共著『新・リーダー論──大格差時代のインテリジェンス』（文春新書）で、佐藤がこう批判しているのが理解できない。

池上が、サミットの時、各国首脳を伊勢神宮に連れて行ったのを咎めたのを受けて、佐藤は次のように指弾しているのである。

「一神教の人間ならどう受け止めるか、ということが、まったく想像できていない。『おもてなし』と言っても、人間の内面にまで押し入る『おもてなし』が、どこまで許されるのか。メルケルが伊勢神宮に連れていかれて、激怒するのも当然です。メルケル首相の父親は牧師です。牧師の娘を伊勢神宮の内宮まで連れていって、異教の神様を拝ませるなど、いったい誰が考えたのか。イギリスの新聞も批判的に報じていました」

その通りだと思うが、では自らが「異教」の創価学会を呆れるほどに持ち上げるのはどうなのか。学会については、こんな体験をした。『週刊金曜日』の二〇一五年二月二〇日号で〝最後の黒幕〟と呼ばれる朝堂院大覚と対談をしたが、それにからんで同誌の三月二七日号に次のような〝お詫び〟が載ったのである。

「〈対談　朝堂院大覚×佐高信　戦後日本の裏街道経済編〉の記事中で、池田大作創価学会名誉会長が『東京地検特捜部に逮捕される寸前までいった。使途不明のうち少なくとも三億円は池田の懐に入ったという』と『ルノワール事件』について朝堂院氏が発言しておりますが、この点について、宗教法人創価学会広報部から事実ではないという抗議がありました。創価学会に前述の点を確認しなかった点をお詫びいたします」

詳細は同対談を読んでほしいが、これは取り消しではない。「確認しなかった」ことだけを詫びている。三菱商事が関わったこの事件の時には、右翼団体が創価学会本部のある東京の信濃町で街宣活動を行い、「売国奴、池田」「ルノワール事件の主犯」等と騒ぎたてた。頼まれて、その収拾に当たったのが朝堂院である。だから、この経緯は細部まで知っている。

創価学会が「事実無根」といきなり訴えたら、逆に、ヤブを突いて蛇を出すことになりかねない。創価学会から抗議されたと聞いた朝堂院は、手加減してやったのに、と逆に怒っていた。

そんな学会を佐藤は手放しで礼讃する。

松岡幹夫との『創価学会を語る』（第三文明社）で、佐藤は学会と池田をこんなにヨイショしているのである。

「私は、そろそろ創価学会員の総理大臣が出てもいいころだと思います」

「日本に生まれた宗教である日蓮仏法を、世界中どこでも通用する形に普遍化していったのが池田会長だと思います」

多分、佐藤は大マジメなのだろう。それだけにコッケイな感じが浮かび上がる。

池田とイギリスの歴史学者、アーノルド・J・トインビーの対談を読み解いて、「トインビー氏よりも池田氏の洞察の方が遥かに具体的であり、かつ深い」とまで言うのだから、ゴマスリも極まれりである。

私は『週刊金曜日』の二〇一六年四月二二日号に「知識の〝武器商人〟佐藤優との決別」を書いたが、それをめぐって『宗教問題』の同年夏号で同誌編集長の小川寛大のインタビューを受け、こう言った。

「たとえば池田大作氏の著作などを字面通りに読んでいけば、確かに平和主義的な人物であるように見えるんですよ。ただ、知性とは基本的に疑うことから発生するものです。（略）まあ、佐藤氏はクリスチャンという信仰者ですし、まず『書かれていることを頭から信じる』というクセみたいなものがあるのかもしれない。ただ、そういう意味では佐藤氏は、知識人としての義務を放棄してしまっている」

佐藤は前掲の『創価学会を語る』で、妻に「あなた、創価学会の人と会う日は楽しそうね」と言われたと述懐している。

「確かに楽しい」らしいが、私は佐藤の学会への接近はベストセラー作家としての地位を保つための戦略ではないかとも思っている。

歌手や役者に学会員は多い。久本雅美や氷川きよしが有名だが、彼らはチケットをさばくのに苦労することはない。学会が全面的にバックアップするからである。佐藤もいまや彼ら並みにまとめ買いされているのだろう。

自公政権のお抱え知識人、佐藤優

自民党と野合政権を組む公明党の支持母体の創価学会の強力な応援者として作家で元外務省主任分析官の佐藤優がいる。いまや創価学会名誉会長の池田大作の代弁者的存在で、彼の著書は学会員の必読書となっているらしい。原子力発電をＰＲしていることでもわかるように、佐藤の路線は自公政権と合致している。

さて、陸軍軍医総監でもあった森鷗外に対して、終生シャープな批判精神を持ち続けた作家の大岡昇平は、「文豪鷗外の学識と文才に私は尊敬を失っていないのであるが、人は比類のない才能をもって、最も下らない政治に奉仕することがある」（『歴史小説論』岩波書店）と喝破した。

この痛烈な指弾を思い出したのは、佐藤が二〇一六年一一月一一日付の『東京新聞』のコラムに、自民党の外交部会などの合同会議に呼ばれて北方領土交渉について話した、と書いていたからである。

佐藤はまず、一一月三日付の『産経新聞』を引く。

「自民党が二日に開いた外交部会などの合同会議に、作家で元外務省主任分析官の佐藤優氏が招かれた。佐藤氏によると、党本部訪問は一五年ぶり。北方領土問題をめぐる交渉の歴史や展望を語り、一二月の日露首脳会談で返還交渉が頓挫すれば北方四島の帰属問題の解決は大きく遠のくとの見解を示した」

この会議の数日前に、安倍晋三の側近の国会議員から佐藤に電話がかかってきて、

「自民党本部の外交部会に出席して、北方領土交渉に関する過去の経緯と、一二月一五日に山口県で行われる安倍首相とロシアのプーチン大統領との会談の見通しについて、率直な意見を聞かせてほしい」

と依頼されたという。

「話をするのは構いませんが、外務省との関係は大丈夫ですか」

と佐藤が尋ねると、その側近議員は、

「外務省幹部に北方領土問題については現役の外務省の人だけでなく、元の主任分析官からも話を聞きたいと伝えると、どうぞどうぞという対応だったので、まったく問題ない」

と答えたとか。

外務省から追放された形の佐藤だけに、その側近も一応問い合わせたのだろう。

私は現在の安倍政権を「最も下らない政治」と思っているので協力する気はまったくないが、元官僚の佐藤は「国益」を考えてか、呼ばれて話すことにためらいはないらしい。

しかし、「民益」というのもあるのではないか。そして、いま、国益と民益は合致せず、むしろ、対立するものになっているのではないか。そのことに私が「自公政権のお抱え知識人」と呼ぶ佐藤や竹中平蔵は無自覚過ぎるほど無自覚である。

それで私は『自公政権お抱え知識人徹底批判』という時評集を二〇一七年一月末に河出書房新社から出した。

佐藤優のコペルニクス的転換

二〇一一年三月三日、グランドプリンスホテル新高輪「飛天の間」でJR総連関係者ら約二〇〇〇人が参加した「松崎明さんを偲ぶ会」が開かれた。松崎は〝鬼の動労〟の妖怪であり、革マル派副議長として倉川篤の別名を持つモンスターである。

牧久著『暴君』（小学館）によれば、そこで佐藤は次のような弔辞を読んだ。

「松崎さん、あなたは天才です。天才のやることはときどき飛躍する。だからわからない。時代状況が本当にきびしいときに、また資本の力が圧倒的に強いなかにあって、攻撃をかけてきたときに、突っ込めというのは簡単です。しかし、突っ込んだあとの犠牲者は……。一歩、二歩退くということ、これが本当の勇気だと思うのです」

国鉄の分割・民営に最初は反対していたのに、組織を守るという名分の下に、一八〇度転換して経営側に加担し、あくまでも反対する国労の邪魔をし続けた松崎の軌跡をコペルニクス的転換、いわゆる「松崎のコペ転」と言うが、かつては社青同に属し、マルクス少年だった佐藤が、いまや安倍（晋三）政権ベッタリになった自らの歩みを重ねて、この弁明の弔辞を読んだのだろう。

二〇二〇年四月一二日付の『産経』に佐藤は「安倍首相の下に団結せよ」と書いていた。これはその何日か前に、やはり『産経』に載った櫻井よしこの主張と酷似している。

「新型コロナウイルス蔓延の危機の真っただ中、わが国が国難に打ち勝つ鍵は、政府と国民が一体となって協力できるか否かである」

佐藤はこんな櫻井と義姉弟の契りでも結んだのか。ならば、櫻井優と改名した方がわかりやすい。

国鉄の分割・民営は、中曽根康弘が自ら告白したように、国労を潰して、その影響下にあった社会党の力を殺《そ》ぐのが目的だった。鎌田慧らと共に私はそれに反対して、松崎が支配する動労、つまり革マルの執拗な嫌がらせを受けた。それは異常と言うしかないものだったが、西岡研介著『トラジャ』（東洋経済新報社）は信じられないようなその暴行を暴いていく。松崎を天才と呼ぶ佐藤はそれを肯定しているのだろう。

組織防衛のためには安全などそっちのけで電車の運転の妨害をする。それをさせた松崎を西岡は最初は『週刊文春』で「組合費で買った『ハワイ豪華別荘』」という見出しで追及した。次に舞台を『週刊現代』に移し、「これが革マル派の〝運転士狩り〟だ」「ついに『置き石事件』発生　乗客の生命が『人質』にされた！」と「渾身のルポ」を連発し、それをまとめた『マングローブ――テロリストに乗っ取られたJR東日本の真実』(講談社)は二〇〇七年に出て講談社ノンフィクション賞を受けた。『トラジャ』のオビには「人殺しの組合にはいられない」とあるが、そんな組合をつくった松崎に、なぜ佐藤は弔辞を献げたのか。

思想なきウンチクおたく、佐藤優

二〇二〇年一二月一二日付の『毎日新聞』で、佐藤優がマルクスの思想に関わって鎌倉孝夫らの本を推している。しかし、少なくとも鎌倉は、佐藤のように竹中平蔵を礼讃しはしないだろう。保険をかけるためなのか、佐藤はマルクスを語る一方で、竹中を持ち上げる。それができるのは佐藤が思想なきウンチクおたくだからだ。佐藤のウンチクは死体解剖である。思想を現実に生かすためにマルクスを求めるのではなく、ウンチクを売るためにマルクスの死体をいろいろといじくる。

それに幻惑されてか、『産経新聞』はコラムを頼み、『朝日新聞』は傘下の朝日新聞出版が発行する『ＡＥＲＡ』に「池田大作研究」を連載させて、それを本にした。

佐藤よりは大物だが、同じように対立する『朝日』も『産経』も大事にしたのが司馬遼太郎だった。

佐藤は今度、片山杜秀を相手に『文藝春秋』で司馬の『坂の上の雲』大講義を始めた。「短期集中連載」だという。

佐藤は、司馬が「商売」をおもしろく書いている、と指摘している。

私は『司馬遼太郎と藤沢周平』（光文社知恵の森文庫）で、司馬は商人、藤沢は農民、そして池波正太郎は職人だと規定したが、佐藤が商人の司馬に惹かれるのは当然だろう。私は佐藤を「知識の武器商人」と批判した。敵味方どちらにも知識という武器を売るからである。

拙著の基となる司馬批判を雑誌に書いた時、面識のなかった小松左京から、突然、

「よく書いたね」

という電話をもらって、司馬がタブーとなっていることを知った。拙著所収の対談で歴史学者の色川大吉が、大岡昇平のピリッと厳しい司馬論を紹介している。

大岡は、今日『坂の上の雲』などを読むのは庶民ではなく、実務的な知識層だろうと前提した上で、こう指弾する。

「司馬氏の爽快な鳥瞰図的視点は高度経済成長の顕著となった六五年頃から読者に受け入れられたのではないか。これは戦前の吉川英治が『宮本武蔵』を書いて、ファシズムに向かう国民にひとつ

の励ましを与えたメッセージと重なるのではないか」

司馬はこんなことを言っている。

「僕はビルの上から見下ろすのが好きなんです。上から見ると、人間というものが右から左の道に行って、車にぶつかりそうになったとかなんとか全部見える。そこにある人生というのは、下に見えるのが歴史だとすれば、みんな完結していて、いろいろぶつかったり、すれ違ったり、泣きの涙で別れたりということをやっている。それを自分は上から見る。そのことによって、その時代に生きていた人間にはわからないことまでも、後の時代の人間としてわかるので、初めてそこに面白さを感じるのだ」

まさに「上から目線」である。

佐藤優が菅首相肝いり「官邸のアイヒマン」北村滋も高評価

菅義偉を〝特高顔〟と言ったのは辺見庸である。特別高等警察という陰険な思想取締役を連想させると指弾したわけだが、私は今度出した『総理大臣 菅義偉の大罪』(河出書房新社)で、菅の一〇の大罪の一つに「樒《しきみ》の花が似合う陰険監視の罪」を挙げ、その行動隊長は国家安全保障局長の北村滋だと断定した。

『クライテリオン』（啓文社）の一月号で〝外務省のラスプーチン〟と呼ばれた佐藤優がその北村を高く評価していて驚いた。北村は〝官邸のアイヒマン〟というニックネームをもつが、ラスプーチンとアイヒマンはやはり同類なのだろう。

「そもそも北村さんというのは、私が見るところ非常にチャーミングなインテリで面白い人ですね、きっと。官邸でも、みんなと仲良くやっていくというよりは、比較的部屋の隅のほうにいて静かに全体を見渡しているとか、そういう感じだと思いますね」と続ける。

（笑）」と語る佐藤は「目立つことが嫌いで、あえてご縁を拡大しないというタイプの人だと思いま

陰険で暗いという点で北村と佐藤は共通する。私は前掲書で北村をこう批判した。

「まだブームが続いている韓流ドラマ『愛の不時着』に北朝鮮で盗聴を担当する〝耳野郎〟と呼ばれる男が登場する。この男は途中で改心するが、改心しないで日本の耳野郎のトップになったのが北村である。

しかし、耳野郎的体質の陰険さを最も持っているのは菅ではないかと私は思う。いわば大耳野郎だ。

北村は公安警察上がりで、スパイ組織の内閣情報調査室の内閣情報官を七年八カ月務め、二〇一九年秋に国家安全保障局長になった」

いま、この国のマスコミ、出版界では佐藤がタブーになっている。どこでも佐藤の本を出したく

て佐藤批判を封印しているからである。

佐藤の博識に優等生ほどイカれるが、彼の知識は雑学クイズ王のように断片的でつながりがない。ということは思想がないのだ。でなければ、クリスチャンを自称しながら創価学会の池田大作をあんなに持ち上げられるはずがない。また、マルクスを語りながら竹中平蔵を礼讃できるはずがないのである。

私は、佐藤にとってのタブーは三つあると言っている。人物で象徴させれば、池田大作、鈴木宗男、そして竹中平蔵である。

竹中と佐藤の共著『国が亡びるということ』（中央公論新社）で、佐藤は竹中を次のようにほめたたえる。

「私は決して竹中先生に対しておべんちゃらを言っているわけではないのですが、『通訳能力』もすごく高いですよね。霞が関と永田町というのは、目と鼻の先にあるようでいて実は地球を反対に一周しないとたどり着けないくらいの距離があります」

これに対して竹中が「ええ、確かに（笑）」と相槌を打つと、佐藤は
「ですから、私が外務省にいた時には、霞が関の文法に通暁しながら、さらに永田町の文法にも通暁して、その間の仲を取り持つという仕事をしていたわけです。ところが竹中先生はもう一つ、本格的なアカデミズムの言語にも通暁している。この三つを総合的に利用することができれば、まさ

に『三位一体』の力を発揮することができるというわけです」と天まで届くほどに持ち上げている。

これを「おべんちゃら」と言わずして、何をおべんちゃらと言うのか。

二〇一二年の時点で佐藤は「私としては、ぜひ竹中先生に政府内に戻ってもらって、『三位一体改革』をがんばって欲しいと期待したいのですが」とも言っているが、竹中を「改革者」と思う佐藤の目は信じられないほどに狂っている。こんな佐藤がもてはやされる社会は陰険で息苦しい社会である。

二——佐高信の視点

社民党は女性主導で再出発を

「私たちは勝てるから闘いに立ち上がったのではなく、闘わねばならぬが故に闘いに立ち上がったのである。それが提訴の初心であったとすれば、状況がどのように不利になろうとも、今さら何を思いわずらうことがあろう」

これは、教科書検定は憲法に違反するという訴訟を起こした家永三郎の言葉である。

立憲民主党と社民党の合流騒ぎで私はこの言葉を思い出した。

新自由主義に対決する社会民主主義の必要性がますます高まっている時に、なぜ、社民党を解党して、代表や幹事長が疑問なく伊勢神宮に参拝する立憲民主党と合流しようと思うのか。

そこに私は、男たちの拡大志向の出世主義の臭いをかぐ。多分、それは市民感覚と離れた労働組合運動の中で培われたに違いない。端的に言えば、自治労の都合で今度の騒ぎは引き起こされた。

先日、岩手の佐高塾で、党首の福島みずほ観を問われ、後援会長として誰よりも彼女に大きな不満を持っているが、社民党を残したことは高く評価すると答えた。

社民党の凋落《ちょうらく》に拍車をかけた張本人は福島の前の党首の又市征治である。『ベルダ』という雑誌の二〇二〇年の三月号に「又市征治の恥の上塗り」と題して、私はこう書いた。

〈目を疑うような記事だった。二月七日付の『朝日新聞』によれば、社民党党首の又市は前日の記者会見で、党大会で行なう党首選について、「党首は激務なので避けた方がいいが、『それでもお前だ』というなら否定できる話でもない」と言ったという。

おそるべき厚顔無恥である。

大体、ガンにかかって先の参議院議員選挙を陣頭指揮できなかった又市が党首を辞めないのさえおかしいのに、続投も辞さないとは〝盗っ人猛々しい〟とまで言いたくなる。

又市は都合良く忘れたふりをしているが、マッサージの女性とスキャンダルを起こして週刊誌ネタになったのは十余年前である。それでもなお議員を続けた無神経にはあきれるほかない。あれで、どれだけの女性票を失ったか。鈍感な又市には想像もつかないのだろう。

当時、三宅坂にあった社民党本部に右翼の街宣車が押しかけ、強烈な皮肉を放ったと聞いた。

「社民党の皆さん、今日はマッサージの御用はありませんか?」

急所を突いたアナウンスに、事務局の人間は「やってられない」と苦い顔をしたとか。

恥というものを知っている人間なら、直ちに議員を辞める。ところが又市は幹事長を続けたのである。

社民党などどうなってもいいと考えたのか。小さいながらも幹事長の座が居心地がよくてしがみついていたかったのか。いずれにしても社民党のイメージを著しく低下させた責任は大きい。

それなのに、今度は立憲民主党と合流という名の解党の旗振り役をしている。

とくに東北や大分、沖縄などで社民党は強く、地方議員の数も少なくはない。国会議員政党の立憲よりも足腰は強いのである。

だから私は「強い足腰を置き去りにして、弱いアタマだけで暴走するな」と忠告したのだが、権力亡者の又市や、その子分でしかない幹事長の吉川元は聞く耳を持たない。いわば理解する能力が無いのである。

先年の京都市長選で、社民党の京都府連は自民、公明、立憲、そして国民民主が推した現職に相乗りした。私は共産とれいわが推した市民派候補の応援に行ったが、京都府連に指導力を発揮して、せめて自主投票にするとかしなければ、党首や幹事長は要らないということになるだろう。

降って湧いたような合流騒ぎに主体性もなく参加して、立憲代表の枝野幸男との会談に意欲を見せるなど、勘違いも甚だしい。

時折り、又市は地元の富山の名産などを送ってくるが、マッサージ問題の後、突然、送り主の名前が又市征治ではなく夫人の名前になった。

「どうしてなの」とツレアイに聞かれて、私は返答に窮している。こんな姑息《こそく》なことまでしている又市に信頼感など抱きようがないのである〉

男たちが腐らせた社民党を、女性を主軸にして立て直すしかない。幸い、現党首は女性だが、もちろん、社民党の凋落には福島にも責任がある。

私は彼女に、党首なら衆院選に立て、と何度も言ってきた。お互い、気まずい雰囲気になるほど激論してきたのだが、辻元清美や阿部知子の離党には、福島が六年安泰の参院に固執し、解散もある衆院で勝負しないことへの不満があった。

それについて福島は、又市や吉田忠智には誰もそう言わなかったと弁解しているが、それは自分を又市や吉田と同じレベルに落とす言い方である。

誰から言われなくても、土井たか子は衆院選に立った。

どうしても福島が参院にこだわりたいなら、私は共同代表にして、もう一人を衆議院の候補者にしたらいいと思う。女性主導の党を高らかに宣言し、イメージアップを図るために、たとえば大椿ゆうこと福島を共同代表にすればいい。

かつて、土井党首、福島幹事長、辻元政策審議会長の時代があった。すべて、組合臭のない市民派である。

土井は、自民党左派の元首相、三木武夫を悼む衆院本会議での演説で、三木にこう言われたと語った。

「土井さん、男は駄目なんだよ。男は戦う歴史をつくってしまったんだからねえ。そこへいくと女の人は、武器を取って戦った歴史をもたない。戦うことは間違っているという知恵を初めからもっている。これからは、そうした女の人の理性が政治を切りひらいていく時代なんだと思いますよ」

土井は一九八九年五月一二日に東京は銀座で開かれた「女性内閣」集会での「施政方針演説」を、次の与謝野晶子の詩を読むことから始めた。

山の動く日来《きた》る
かく云へども人われを信ぜじ
山は姑《しばら》く眠りしのみ
その昔に於て
山は皆火に燃えて動きしものを
されど、そは信ぜずともよし
人よ、ああ、唯これを信ぜよ
すべて眠りし女《おなご》今ぞ目覚めて動くなる

一人称にてのみ物書かばや
われは女ぞ

一人称にてのみ物書かばや
われは　われは

この演説の演目は「女性が変われば政治が変わる」だが、私は女性に媚びてこう言っているのではない。

男性以上に女性が抑圧されているのであり、その女性が立ち上がった時、政治が変わり、社会が変わると思うからである。

又市征治の党首続投を許した男たちには理解不能だろうが、右からの攻撃は私以上に落合恵子にきつく、落合以上に在日の辛淑玉に厳しいのだということが分からなければ、闘っているとは言えない。

私が、『日本官僚白書』（講談社文庫）を書く時、キャリアの男たちはすべて取材拒否で、途方に暮れた。何人かに続けて断られて、文部省（当時）の女性キャリアに申し込んだら、「いいですよ」と引き受けてくれた。

その時、エリートでも女性は差別されているのだということを痛感させられた。

ただ、女性解放運動の言葉の使い方について辛淑玉が福島との対談で適切な指摘をしている。

辛は「女性問題ってインテリの女がやっているという感じがして、言葉はむずかしいし、あのままでは絶対に普及しないと思ってた」という。

しかし、辛は、福島はそれを〝翻訳〟するというのだ。

「集会に行くと、ドメスティック・バイオレンスとかシェルターとかジェンダーとかって言葉がよく出てくるけど、本当に今むちゃくちゃ大変な状況になっている人たちに通じるかといったら、通じないよね。

『リサイクル』云々とか言って地域でいろんな形でシンポジウムとかあるけれど、来ているのは平均年齢がうんと高いおばあちゃんたちだよね。彼女たちに『リサイクル』ではなくて『使い回し運動をしましょう』と言うと、拍手が来る。マーケットに対してまったく通じない言葉を使って、それで運動を展開しようと思うところに、進歩的知識人の弱さがあるんだろうなって思う。

だけど福島さんは面白くて、とりあえず彼女の話は何でも聞いてみようと。難しい話をワイドショーでするのよね。だから専門家からすれば突っ込みが足りないとかいろんな見方もあるかもしれない。最も人を動かすという意味からすれば、政治家に向いていると思うね」

これは今からおよそ二〇年前の『月刊社会民主』での福島の対談シリーズの一節である。残念ながら「むちゃくちゃ大変な状況」は変わっていない。辛淑玉に次いで私も福島と対談したのだが、そこに興味深いやり取りがある。

「私のパートナーの海渡（雄一）君は私に『社民党の捨て石になれ』とは言わなかった。『社会民主主義のための捨て石になれ』と言ったので、私はムッときたわけだけど」

と福島が言ったので、私は
「あなたは『捨て石』が嫌いみたいね。俺、案外好きだよ。玉砕戦法はよくないけれども、捨て石というのはある種身を捨てるみたいな、それで次の世代にという精神はどこか必要でしょう」

と返した。以下——

「そうね、土井さんはずっと捨て石だったと、佐高さんは言っているよね」

「小林多喜二の『一九二八年三月一五日』という小説にアリの話が出てくる」

「あ、それ、私、読んでいると思う」

「若山牧水を読め（笑）。アリが川を渡ろうとすると、みんな流される。結構な川だ。寓話だと思うけれども、中で勇敢なアリが何匹か飛び込んで、流されながら必死に、最後に向こう岸にたどりつく。バーッとアリがその尻にくっついてアリの橋みたいのができる。そうするとアリの大群がそれをずっと渡っていく。渡り終えた後にアリの橋は残される。これみんな死んでるんだよ」

「なるほどね」

「目立つとか自分が先にというのをふっと沈めなければならない時があるでしょう」

私が若山牧水を読めと言ったのは、福島が宮崎の出身だからである。それで、この対談の結びはこうなった。

「あれ、何してるの?」

「ン、牧水の歌かいてるの。

多摩川の砂にたんぽぽ咲くころは
　われにもおもふ人のあれかし

いいでしょう。ちらっとこういう歌を『私、宮崎なものですから』と言うと、ちょっとハートをつかんだりするわけじゃない」

「でも、みんな『ちょっと似合わないな』と思うんじゃない」

「いやいや、『福島みずほも奥行きが出てきたなあ』と思うかも」

「思うかなあ」

彼女が意外に頼もしいなと思ったのは、彼女と同じ車に乗って東京から千葉に向かった時である。参院選の候補者として、確か練馬で演説し、次の会場の千葉を目指した。ところが渋滞で、なかなか進まない。そのうち予定の時間が迫ってきて、事務局の人間が懸命に向こうと連絡をとっている。私も気が気でなかったのだが、福島はその間、グーグー寝ていた。すぐ隣の携帯電話の話し声など何のそのである。多分、疲れていたのだろう。しかし、ある種の肝の太さに感心した。

彼女でなければ、不毛な解党合流騒ぎに耐えられなかっただろう。彼女と共にタフに未来を切り拓きたい。

保阪正康への疑問

現代史研究家を名乗る保阪の著作を読みながら思い出したのは、久野収の「歴史というものは見ようによっては、何でも証明できる悪しき証人だ」という指摘である。歴史を大事にという歴史主義は「既成事実をそのまま認める最悪の現実主義、オポチュニズムになりかねない」という久野の警告は、天皇制を擁護し、昭和天皇は平和主義者、好戦主義者のいずれでもないと主張する保阪にも当てはまる。私は昭和天皇は少なくとも平和主義者ではなかったと思う。

保阪はどう評価するのかは知らないが、広田弘毅を描いた城山三郎の『落日燃ゆ』（新潮社）にこんな場面がある。

石屋の息子で首相になった広田に昭和天皇が「名門を崩すことのないように」と注意するのである。はずんでいた気持ちに冷水を浴びせられ、索漠とした思いで宮中を出た。

また、予算編成の近づいた時に呼び出され、「大元帥としての立場からいうのだが」と前置きされて、陸海軍予算の必要額を告げられる。粛軍を掲げて努力していた広田は呆然として言葉を失った。

天皇は最後に「国会で審議して決めるように」と付け加えたが広田の驚きと落胆は消えなかった。その他、田中伸尚の労作『ドキュメント昭和天皇』(緑風出版)全八巻には、むしろ好戦主義的昭和天皇が出てくるが、「いずれでもない」という保阪は、歴史家として逃げているだけではないのか。もちろん、先入観を持つことは厳に戒めなければならない。しかし、変に中立を標榜したら、見えるものも見えなくなるのではないか。『サンデー毎日』の連載で日本社会党をヒステリックに叩いていたし、共産党に対しても批判派だという保阪は著しく保守的な立場から歴史を見ている。そして、保守の中に良質な者を探そうとしているようだが、その石原莞爾観はチグハグである。

保阪は極東国際軍事裁判で、石原が、「満州事変の中心は自分である。満州建国にしても、自分であるのに、なぜ自分を戦犯として逮捕しないのか」と発言したことを引き、兵士を「人間」として扱ったことなどからプラス評価をするのだが、拙著『石原莞爾　その虚飾』(講談社文庫)で詳述したように、東条英機と石原の違いはマイナス八〇とマイナス三〇くらいの違いでしかない。しかし、保阪は意図的と思えるほどに石原のマイナス面に触れない。そして、「五・一五事件」で祖父の犬養毅を殺された犬養道子の『花々と星々と』(中公文庫)を引きながら、石原について道子が投げた決定的なセリフを隠す。

保阪は、犬養の肉親の一人(女性)が事件の後に見舞いに来た閣僚の中に荒木陸相の姿を見つけ、「荒木さん、あなたがやった!」と迫ったことを『花々と星々と』から引用し、「とたんに正装の大臣が崩折れて畳廊下に両手を突き、長い間背を震わせていた」と道子が書いていると続ける。

ところが、『花々と星々と』の続編『ある歴史の娘』で道子が次のようにズバリと書いていることは無視している。

石原礼讃のために都合が悪いから意図的にはずしたとしか思えない。

道子は怒りを込めて、石原をこう指弾している。

「祖父、犬養木堂（毅）暗殺の重要要素をなした満州問題は、その発生から満州国建国までの筋書一切を極端にして言うのなら、たったひとりの右翼的神がかりの天才とも称すべき人間に負うていた。『満州問題解決のために犬養がよこす使者はぶった斬ってやる！』と叫んだあの石原莞爾その人である」

保阪は、犬養道子に会ったらしいが、石原を評価するとは思わなかっただろう。

三島由紀夫との対決

二〇二〇年一一月二五日が没後五〇年ということで、三島由紀夫についてのさまざまな特集が組まれている。

自決の前年の一九六九年に創刊されたのが『夕刊フジ』だった。残念ながら、いまの同紙にはそのおもかげはないが、私が内橋克人の『匠の時代』の後に連載を始めたころまでは、ある種の反骨精神があった。

その権化のような馬見塚達雄が報道局長から編集局長を務めた当時を『「夕刊フジ」の挑戦――本音ジャーナリズムの誕生』（阪急コミュニケーションズ）にまとめている。

第四章が「夕刊フジの姿勢を決めた三島事件」。

サラリーマンのホンネに迫り、その怒りと喜び、あるいは悲哀をつづることで、駅の売店で買ってもらう夕刊紙を成功させた内幕を馬見塚は見事に描いているが、同紙には宅配になれきった新聞にはない新鮮さがあった。

三島事件の翌日、同紙は「その美意識はわれわれにはまったくかかわりのないものであり、個人的な観念の遊びの域を脱して、実社会に割り込まれたのではたまらない」と書いた。そして「三島は、昭和元禄といわれる世相を、怒りと憎しみをこめて批判した。だが、平和を願い、こどもを産み育て、一家の幸せを願って働く。それが国家、社会の繁栄へと発展してゆく。それがなぜ批判されなければならないのか」と続け、次のように断罪した。

「日曜に、こどもを連れて遊園地に、あるいは月賦で買ったマイカーでドライブを楽しむサラリーマン、やりくりをしてマイホームのために貯金をする妻、学習院ではなく、町の公立の小学校にこどもを通わせる家族。その家庭のあたたかさ、かなしみ、そのほんとうの味わいは三島にはわからなかったのだ。〝狂った喜劇〟でしかない」

没後三〇年の二〇〇〇年に出された『新潮』一一月臨時増刊号で鈴木清剛という人が、三島が好きかと問われて、キッパリと「嫌いです」と答えている。「文章も内容も、定規を使ってカキコキと書いたような感じがするし、何よりもマッチョで一本調子な印象があるから」だという。

立松和平までが「好き」と答えているアンケートで、この明確な否定は際立っている。しかし、それから二〇年。「明確な否定」は消えかかっているように思う。

その死の二年前に三島は安岡正篤に長文の手紙を書いた。安岡は歴代総理の指南番といわれた陽明学者であり、中国との国交回復に反対した台湾派だった。

その手紙の中で三島は丸山真男を「左翼学者」と批判し、反面、「大衆作家の司馬遼太郎などにまじめな研究態度が見え、心強く思っております」と持ち上げている。「右翼思想家」の安岡に傾倒する「右翼作家」の三島から見れば、司馬は好ましい存在だった。やはり三島に評価された吉本隆明が否定的な丸山論を書くのも当然なのだろう。

三島について私が拍手するのはただ一点、文学座のために書き下ろした戯曲『喜びの琴』が〝思想上の理由〟で上演中止になった時、怒って書いた文学座への公開状だけである。

「諸君は今まで私を何と思っていたのか。思想的に無害な、客の入りのいい芝居だけを書く座付作者だとナメていたのか」

鬼龍院花子ではないが「ナメたらいかんぜよ」である。

世襲の廃止から

三島由紀夫が死んだ時、コラムニストの青木雨彦が、

「あれは諫死《かんし》じゃなくて、情死だ」

と冗談を言ったら、

「貴様はそれでも日本人か！」と怒られたという。

「実は日本人じゃない」

と答えたら、彼らはそれで満足するのか、と青木はギラッとした骨っぽさを見せている。

「男に生まれてよかったか」

と聞かれたら、男以外に生まれたことがないから答えようがないように、

「日本人に生まれてよかったか」

と迫られても、やはり、

「さあ？」

と首をかしげるしかないだろう。青木はこう、すかした後、軽妙に次のように付け加える。

「男が男であることを示すためには、ま、男性自身を晒《さら》せばよかろう。一旦《いったん》緩急あれば、前方に向かい、未来に向かって屹立《きつりつ》する。言っちゃナンだが、これが男の証拠である。はばかりながら、まだまだ現役のつもりでいる」

別の方から怒られるかもしれないが、ユーモアのオブラートに包んだ青木のこうした反骨が私は好きだった。酒癖の悪さでも有名だった青木の赤ら顔が、いまはなつかしい。

その青木が、自分の長兄が

「オレがなめてきた苦労を、あいつに味わわせるのは忍びない」

と、長男に家業の金物屋を継がせるのをあきらめたという話に触れて、しかし世の中には子どもに継がせることに熱心な職業もある、と書いていた。

「その職業は――政治家と医師と芸能人。はっきり僻《ひが》んで申し上げるが、これらの家業には、よっぽどイイことがあるにちがいない。わたしが二世の政治家や医師や芸能人とその親たちが好きになれない所以《ゆえん》である」

子どもを政治家にした政治家を私は革新とは認めない。それで、どうして安倍晋三や麻生太郎や小泉進次郎を批判できるのか？　民主主義の原点は「武士の子は武士、農民の子は農民」という封建制、つまり世襲の廃止だろう。

自民党が野党だった時、与党の民主党（当時）が世襲の制限をスローガンに掲げたので、選対副委員長の菅義偉がそれをパクって、同じような主張をしたことがある。しかし、自由世襲党もしくは世襲自由党のような党内の反発で断念した。適用されていれば、小泉進次郎が純一郎の後を継いで自民党公認で立候補することがむずかしい状況になるところだった。

三島と対極の作家、小田実が書いている。

「私はよくこんなような人に出会う。会社や新聞社や大学に勤めていて、おどろくほど激烈な革新思想をもっていて、自分の組合の運動を含めて一切の左翼陣営の政治行動、言論活動を鋭く批判し、その批判はたいていい正確で的を射ているのだが、それでいて、彼の日常の行動は一向に左翼的でも革新的でもない」

そして、自分ではイニシアチブをとろうとせずに、「その革新性を彼が生まっちょろいとする行動を批判することにおいてのみ、ただ、そこにおいてのみ、示そうとする」。

勲章と子どもは革新性を測る重要なバロメーターである。

塀の中の左右対決

左翼から右翼に移って小説を書き、若くして亡くなった見沢知廉は自らの監房生活をつづった『囚人狂時代』(ザ・マサダ)に、一九八三年秋、千葉刑務所のプレス工場で会った連合赤軍事件の吉野雅邦について書いている。浅間山荘事件から、吉野はそこで「あさまさん」と呼ばれていた。新入りの見沢が、最初に作業の簡単な説明は受けたものの、要領を得ないので戸惑っていると、メガネをかけた細面の人がそばに来て、

「ああ、ここを手で押さえて、こういうふうに引っ張ると早いんだ」

などと熱心に教えてくれた。

刑務所では普通、古参の囚人が進んで後輩の面倒を見ることはなく、新入りも彼らになかなか尋ねにくい。

だから、この「メガネをかけた細面の人」の親切は印象に残った。その彼が吉野だった。

「俺より一〇歳くらい年上だから、当時は三〇代半ばだったわけだが、一見、実際の年よりずっと老けていた。一方で、世間ずれしない、生真面目な雰囲気も漂わせている」

彼の親切は工場の中にとどまらなかった。囚人は舎房から工場へ行く時と帰る時、検身場で検査を受ける。一〇秒で脱ぎ、数秒で検身、そしてまた、一〇秒で着るのだが、慣れない新人は必ずモタモタする。誰もそれを手伝ったりはしないのだが、吉野は違っていた。すっ飛んでいって、服を持ち、着方を教えてやるのである。見沢の時もそうで、あわててズボンに足を突っ込んでいると、

「焦らないで。一度ズボンをパッと……貸して、ほら、こうやって広げてから……」

と早口にコツを説明する。

それを見て警備隊が怒鳴った。

「グズ！　てめえ他のモン並んでんだろうが！　何、ペラ回してる（しゃべっている）んだ。ボケッ！」

しかし、吉野は口をとがらせて弁明した。

「先生！　新人であります。まだ慣れていないんです。ペラじゃなく教えているんです」

見沢はこの時、「なんて親切なんだろう」と思いつつ、親切を越えた「異常な献身癖」をも感じたという。見沢が、「あさまさん」が吉野であることを知るのは、それからしばらくしてだった。金ちゃんという無期懲役囚が見沢に言った。

「あのメガネの人、知ってる？」

以下、見沢と金ちゃんのヤリトリをそのまま引こう。

「いや、知らない。どっか変わっている感じだけど……。インテリっぽいね」

「左翼、さ」

「へえ！　左翼かあ。俺も昔左翼やってたから、知ってるかもね。どこの左翼？　中核、それとも革マルとか？」

「連合赤軍って知っているでしょ。山の中で一四人殺してさ、あさま山荘に立てこもって銃撃戦したじゃない」

ここで見沢は「吉野雅邦だ！」と思う。それから二人は親しくなり、囲碁で〝左右決戦〟をやるようになったとか。

「刑務所は社会の最底辺です。その最底辺から世の中を観てると、世の中がよくわかります」

釈迦とマルクスが好きな左翼の弁護士の遠藤誠に、経団連を襲撃したりした新右翼の野村秋介はこう言ったという。

向坂読みの向坂知らず

ちょうど二〇歳のころに私は向坂逸郎の『学ぶということ』や『流れに抗して』を読んだ。そして、『青春読書ノート』（講談社文庫）に、その中の次のような指摘を抜き書きしている。

「書くということは考えることである」とか、「人間も枯れると臭くなくなる」とかである。

向坂先生を後生大事と奉る人たちからは怒られそうな見出しをつけたが、岡崎満義著『人と出会う』（岩波書店）で、向坂がこんなことを言っているのを知り、膝をたたいて共感した。

「この間の『文春』で、巻頭随筆の『天皇の電話』というのがとても面白かったね。天皇が電話のかけ方を知らないなんて、はじめて知りましたよ。この頃、ぼくの仕事を手伝ってくれる若い人が三人いるんですがね、この人たちも電話のかけ方を知らないな。三ヵ月くらい、やかましく言って、やっと何とか格好がつくんですね。最高と最低は一致する、ですよ。ハッハッハ。電話といえば、どうも日本の社会主義はダメです。電話のかけ方の一番悪いのが総評、ついで社会党、一番いいのが岩波書店です。革新団体の人は、ふだんいいことを実践しているんだ、という気持がどこかにあるせいか、どうも電話のかけ方がぞんざいで、ひどく威圧的、命令口調なんだな。ものを頼むのに、命令したんじゃあね、これはいけませんよ」

引っかかる「最高と最低」を含めて向坂の口調を伝えるためにそのまま引用したが、あるいは向坂信者たちは電話のかけ方など本質的なことではないと反論するかもしれない。しかし、御本尊がこう言っているのである。

総評は現在ないから連合ということになるが、社会党のOB・OGの会に呼ばれて話をしていた時、前の方で、労働組合のお歴々が勝手におしゃべりしているので、

「人を呼んでおいて何だ！」

と怒鳴りつけたことがある。

命令する側にいることになれて、怒られたことのない彼らは驚いたような顔をしていた。

委員長が山花貞夫、書記長が赤松広隆時代の社会党に招かれて話をした時も、この二人がコソコソと内緒話をやめないので

「失礼だ！　静かにしろ！」

と怒りを爆発させたことがある。以来、私はこの二人を人間として信用していない。

私が日本高等学校教職員組合の一員だった若き日に、日教組と日高教の合併問題が起こった。なぜ合併しなければならないのか理由がはっきりしないと反対する私に、当時の山形高教組田川支部長が電話をかけて来て、

「飲めばわかる」

と言った。もちろん私はその誘いを断ったが、知りたくない組合運動の現実を知らされた思いがして、いまも忘れられない。

『ほんとうの教育者はと問われて』（朝日新聞社）で、横浜市長から社会党の委員長に転じた飛鳥田一雄が向坂逸郎を挙げている。

飛鳥田が社会党の国民運動委員長をしていた時、一度だけ、叱られたことがあるというのである。

「飛鳥田君、マルクスが生きていたら何と言うでしょうか」

こう言われて、負け惜しみの強い飛鳥田は、

「きっと、僕のような言い方をするでしょう」

と返したが、「身にこたえた」と回顧している。

菅義偉、一〇の大罪

『毎日新聞』元主筆の岸井成格は保守本流を自負する政治記者だった。大学でゼミが一緒で二〇歳からのつきあいの岸井と私は二〇一六年に『偽りの保守・安倍晋三の正体』（講談社＋α新書）という共著を出した。このオビに私について「自民党と対峙《たいじ》し続ける〝市民派〟論客」とあるが、岸井の言うように政治認識や思想領域では、だいたい意見が合わず、たとえば共に出演した「サンデーモーニング」でも激論となり、司会の関口宏にCMタイムに「もっとやってください」とけしかけられたこともある。

そんな岸井が保守傍流の安倍や菅義偉に忌避され、「NEWS23」のアンカーを降ろされた。

そうした経緯を振り返って、私は岸井にこう言った。

「本気で怒鳴り合うようなことが何度もあった。だけど、今からするとあれは戦後民主主義の価値を最低限共有したうえでの対立という気がしてくる。岸井と私が同じ陣営になるという事態は、そこまで保守政治というものが変質してしまった今を象徴している。つまり岸井が狙い撃ちされるという事態の背後には、保守の入れ替え、自民党の変質、もっと言えば戦後政治や戦後思想の座標軸自体の大幅な変容がある。もう一つは原発問題。岸井ははっきりと脱原発を表明した。メディア支配にからむことだけど、岸井や古賀茂明の降板には反安保と脱原発の両方の問題があると思う」

岸井によれば、安倍官邸は、岸井が安保体制を批判し、アーミテージ（元米国務副長官）へのインタビューをやって、彼の口から、安保法制によって自衛隊は米軍のために命を賭けると初めて約束した、と言わせたことに強く反発したのだという。

政府与党は「安保法制は日本の安全のためである」とし、公明党は「歯止めがかかっている」などと言ってきたが、それがうそだと暴露されたからである。

ちなみに、公明党が歯止めをかけたと強調する佐藤優は原発推進の新聞広告に出ており、森田実と同じく、典型的な御用文化人に成り下がった。

岸井と初めて共著を出したのは二〇〇六年である。『政治原論』（毎日新聞）というタイトルだった。ちょうど第一次安倍内閣がスタートした時だったが、そこで岸井はこう言っている。

「（菅は）苦労人だけれども、変わり身は早い。政治の世界だから当たり前だけれども、ある安倍シンパは安倍に『菅には気をつけなさい。いつでもあなたを捨てる人ですよ』と」

また、菅の郷里と私の母親の実家が極めて近いことを踏まえて、菅は「動物的な生存体験をしている」から「権力をめぐる生存闘争を生き抜く強さを身につけている」と私が指摘すると岸井は、

「菅には怨念も含めて本能的な強さがあるんだ。しつこいんだ。途中で妥協するという発想がない」

と応じ、私も、

「雪国の人間は、そうでない人間に対して最初から怨念があるからね。雪国に生きるうえで、妥協

することは死ぬことだから」

と続けた。

そんな菅の一〇の大罪を明らかにした拙著『総理大臣　菅義偉の大罪』（河出書房新社）を二〇二〇年末に出したが、ぜひ、手に取ってほしい。

三——メディアの読み方

「完全に」政権支配下にあるＮＨＫ手綱を握るは官房長官の菅義偉

（二〇一九年一二月）

拙著『いま、なぜ魯迅か』（集英社新書）を校正している段階で、担当者とちょっとしたヤリトリがあった。

「現在のようにＮＨＫが完全に政権の支配下にある状況では」と私が書いたのに、「完全に」はキツすぎないかと疑問符がついたのである。

しかし私はそのままで通した。日本郵政を巡る問題はまだ発覚していなかったが、コントロールされていることは、残念ながら、明らかだったからである。

『いま、なぜ魯迅か』に私はこう書いた。

〈私がＮＨＫの「課外授業ようこそ先輩」に出て、母校の小学生に教えたのが放送されたのは一九九八年十月一日である。テーマは「ホンモノを見ぬく眼」。それを収録した『佐高流経済学入門』（晶文社）の「あとがき」に私はこんなことを書いている。

つまり、それは天下の〝公器〟のＮＨＫを使って、小学生にニセ札をつくらせたものであり、お札を、そして、それを発行している日本という国をそんなに信じていいのかと問いかけた、アブナイ授業だった、と〉

ちょっと挑発的に書いているが、お札を通じてホンモノとニセモノの見分け方を伝えようとしたのである。

二〇年前のこのころは、私はＮＨＫのほぼ常連だった。「日曜討論」などにも何度か出たし、少なくとも忌避されてはいなかった。

しかし、最近そんな話をすると、

「えっ、サタカさん、ＮＨＫに出ていたんですか？」

とビックリされる。

私の感覚では安倍（晋三）政権になってから、明確にパージされたように思う。

先日、ＮＨＫのあるＯＢが、原発反対の高木仁三郎の追悼座談会を再放送しようとしたら、サタカが出ているからダメだと言われた、と話していた。

これは、私だけではなく、高木もクローズアップしたくなかったのだと思うが、ことほどさようにＮＨＫは「完全に政権の支配下にある」のである。監督官庁の総務省の大臣を菅義偉が経験していることと、それは無縁ではないだろう。

そのＮＨＫを暴力団呼ばわりした日本郵政上級副社長の鈴木康雄を二〇一九年一月七日付の『日刊ゲンダイ』が「菅の威光をカサに着た」傲岸不遜な態度と批判している。

高齢者をカモにした特殊詐欺まがいのかんぽ生命保険の不正販売が問題なのに、それについての反省はまったくなく、それを報じたNHKに、鈴木は元総務省の次官の感覚で、「殴っておいて、これ以上、殴って欲しくないならやめたるわ。俺の言うことを聞けって、バカじゃねえの」

と言いたい放題。これに対しては、SNS上で「ヤクザはどっちだ」「かんぽ側こそ詐欺だろ」と批判が殺到したという。

『日刊ゲンダイ』によれば、鈴木はそもそも問題役人だった。つまりは厄人である。

旧郵政省郵政行政局長になって二週間でミソをつけた。

「電気通信事業部長だった〇一年に利害関係者にあたるNTTコミュニケーションズの幹部から寿司をごちそうになり、一〇枚前後のタクシー券をもらったことが発覚。国会でも追及され、国家公務員倫理法違反で戒告処分となったのです」

と総務省関係者が語っている。この、いわばキズモノの鈴木を、総務大臣となった菅が省内ナンバー2の総務審議官に抜擢し、次官にもなった。

菅は、NHK改革に待ったをかけたとして情報通信政策局の放送政策課長のクビを切ったが、当時、情報通信政策局長だった鈴木は部下を守らず、菅の意のままに動いた。政界関係者によれば、「二人は今も昵懇の間柄」で、つまりはNHKを支配しているのは菅だということになる。

新聞記者は菅官房長官の言いなり若者はネットの与太話を鵜呑み

（二〇一九年一二月）

『創』の二〇一九年一二月号のグラビアは、森達也のドキュメンタリー映画『・i（新聞記者ドキュメント）』特別試写会で、森と〝主人公〟の「東京新聞」記者、望月衣塑子、そしてプロデューサーの河村光庸のスリーショットから始まる。

あいさつで望月は「ありのままの私が出てしまって、家族には見せられないなあと思いました。かなりしつこい記者だなというのを自分でも再認識しました」と語ったというが、試写を見て、望月の質問にまともに答えない内閣官房長官の菅義偉の横暴さを痛感した。

望月の質問中に「簡潔に」とか言ってズーッと邪魔をする小役人も異様である。望月の『新聞記者』（角川新書）を原案にした劇映画『新聞記者』も大ヒットしたが、この『・i』もぜひ見てほしい。

森は『創』の二〇一七年七月号で武田砂鉄と対談して、こう発言している。

「まだ一カ月経ってないけれど、（二〇一七年）四月下旬に、NSA（アメリカ国家安全保障局）と日本政府とが裏でつながっていることを暴くスノーデンの秘密文書が新たに公開された。そこには例えば、沖縄の米軍基地のアンテナ設備を移転するために数百億円を日本政府が秘密裏に支払っていたという事実も記述されていた。これはNHKのスクープでしたが、大ニュースだったのに、あっという間に萎んでしまって今は誰ももう思い出さない状況になっています」

この時、菅は「出所不明の文書でコメントは控える」と言ったが、記者たちは「では把握してください」とか、「ならば明日質問するから読んでください」と、なぜ食い下がらないのか、と森は怒る。

武田は、共謀罪の時に思い知らされたが、「一般の人たちは大丈夫」と政府が言うと、多くの人は「自分たちは一般の人だから大丈夫。反対しているジャーナリストは何か身に覚えがあるからビビってんだろう」と反応するとガックリしている。

それに対して森も、ネットなどでは「悪いことしなきゃいいじゃん」みたいな書き込みが目につくが、悪いことと良いことの区別を権力がすることの怖さに気付いていないと肩を落としている。

武田はまた、政府がよく口にする「進まぬ理解」に怒る。私は「誤解」云々にも腹が立つが、その政府の言い分を新聞もそのまま使う。理解に至ることが正しいとされているわけで、武田も言うように「理解しなくていい」のであり、十分に理解したから反対しているのである。

武田はある大学でメディアへの就職を目指す学生に教えたことがあって、その時、「信頼できるメディア、信頼できないメディア」のアンケートを取ったという。

すると、ある学生が「信頼できないメディア」に「フジテレビと朝日新聞」を挙げてきた。真逆のスタンスなのに、彼の頭の中ではそうなっていない。「フジテレビって韓流ドラマ推しで、デモやられたよね」であり、「朝日新聞って誤報ばっかからしい」と、ネットで流れているような理由を平然と言うのである。武田はうなだれてしまったとか。

森も学生に教えているが、今の学生は煙草を吸わない。

「なんで君ら吸わないの?」

と森が聞くと、

「体に悪いですから」

と答える。

そんなこと分かってるよと思いながら、

「でも体に悪いものを入れたいって時期あるよね?」

と森が同意を求めると、

「何を言ってるのか分かりません」

と言われてしまった。

ここを読んで私は吹き出してしまったが、良いことばかりやる人間では悪らつな政治家を追及できないのである。

自公連立で加速する政権中枢の腐敗
詐術を厭わない「創価学会党」の罪

（二〇二〇年一月）

「桜を見る会」疑惑で公明党＝創価学会が共犯者であることは、自民党総裁で首相の安倍晋三と並んで公明党代表の山口那津男が乾杯している映像を見れば一目瞭然である。

二〇一九年一二月七日付の『日刊ゲンダイ』は、山口が問題のジャパンライフ元会長の山口隆祥から中元を贈られていたと報じた。

与党となって公明党はここまで腐ったのである。自公連立は自民党をも腐敗させると危惧して、これに反対し、遂には自民党を離党した白川勝彦が亡くなった。享年七四。私と同い年である。

「宗教と政治のかかわりを考える月刊誌」の『ＦＯＲＵＭ21』の一二月号が、その白川の死を悼んでいる。筆者は編集発行人の乙骨正生。白川は自公連立政権を「自公〝合体〟政権」と呼び、〝創価学会党〟（と変質した自民党）の特質を五つ挙げている。

1. 排他独善――高じて批判者を抹殺する体質
2. 反自由で非民主的な体質
3. 詐術的・謀略的手段を平気で用いる体質
4. 理想や理念を求めようとしない俗物的体質

5．寄生獣（パラサイト）的体質

これらのうち、2と4はもともと自民党に内在していたが、公明党との連立によって顕著となったと白川は分析する。

また、1と3と5は、連立したことで自民党に感染し移植されたという。

その結果、公明党イコール創価学会は、自民党が各種選挙で議席を獲得するための生命維持装置であるだけでなく、寄生獣として自民党の体質を変えてしまったというのである。

くしくも、白川が亡くなった一一月一八日は、創価学会の創立記念日だった。

拙著『自民党と創価学会』（集英社新書）の第三章第一節は「戦うリベラル、白川勝彦の絶縁状」である。

白川は二〇〇一年二月四日に自民党に離党届を出した。

一九九九年秋の自民党総裁選挙を前に、小渕恵三は公然と公明党との連立を口にするようになっていた。小渕に対抗して立った加藤紘一も山崎拓もそれに反対する。結果的に小渕が大勝したこの総裁選について、加藤を推して戦った白川はこう指摘している。

「この総裁選挙で加藤氏は予想以上の票を獲得したといわれたが、それは公明党との連立に疑問をもつ者から派閥を超えて支持を得たからであった」

白川によれば、イラクへの自衛隊派遣は自民党単独では決してできなかった。公明党が反対しなかったから派遣できたわけで、小泉（純一郎）元首相の靖国参拝にしても、公明党は「おざなりの反対」

をするだけだった。

そして、白川はこう結論づける。

「この異常な連立を可能にしているのは、この連立が兎に角〝政権党でいたい〟という一点にその動機と目的があるからだろう。だからそれぞれの党のレーゾンデートルに抵触するような場合でも、ほとんど緊迫したことにはならない。見事といえば見事な連立だが、私にはそれは浅ましく見えるのである」

『月刊日本』（K&Kプレス）の〇七年四月号から六月号まで連載した「自公〝合体〟政権批判」で白川はこう批判した後、次のように結ぶ。

「自公連立の根本が兎に角〝政権党でいたい〟というところにある以上、自民党や公明党の主張の違いはほとんど意味がない。かえって政治的問題の所在を曖昧にするだけだ。それは時には、与党の詐術ともなる。創価学会の特異な体質として、詐術を平気で用いることだと創価学会ウォッチャーは指摘している。創価学会のこの体質は、いまや自民党全体にも政権全体にも染み付いてきた」

二〇年経って、〝合体〟はさらに進み、詐術も日常のものとなってきた。自民党と共に公明党（創価学会）の罪は重い。

偏向報道の日本メディアは排除しても「菅」の名出さぬゴーンの尻すぼみ会見

（二〇二〇年二月）

二〇一九年一月に出した拙著『官房長官　菅義偉の陰謀』（河出書房新社）の第一章を私は次のように結んだ。

「緊急に追記すれば、渦中のカルロス・ゴーン事件にも菅は関わっていると言われる。日産自動車の本社は横浜にあり、社長の西川廣人ら同社の幹部は神奈川のドンでもある菅にいろいろ相談してきたという。このままではルノーに吸収されると危機感を抱いた西川らが菅にどんな依頼をしたのかはわからないが、ゴーン逮捕はかなり強引だった。特定企業に甘く、ルール等をあまり考えない菅の姿勢が新たなる災厄をもたらさなければ幸いである」

そしてレバノンに逃げたゴーンが二〇二〇年一月八日に二時間半に及ぶ記者会見をした。会見に先立ってゴーンは自らの逮捕と起訴に関わった日本政府関係者の実名を公表すると予告していたが不発に終わった。

当時、経産大臣だった世耕弘成も関係者と噂されていたが、世耕では検察を動かすことはできないだろう。

当然、菅の名前が出てくると私は思った。

ところがゴーンは「レバノンを困難な状況に追い込みたくない」として沈黙してしまったのである。

その理由を一月一〇日付の『日刊ゲンダイ』で「外交関係者」が次のように明かす。

「日本はレバノンに対し、約二〇〇億円のODA（政府開発援助）を実施してきた。レバノン経済は低迷しており、今後も日本からの支援は必要不可欠。レバノン政府は、これからも金満ニッポンとは仲良くやっていきたいのが本音です。レバノン政府関係者から『余計なことは言わないでくれ』と口封じされたか、ゴーン氏が政府の意向を〝忖度〟し、口をつぐんだ可能性がある。逆に言うと、ゴーン氏はレバノン政府に生殺与奪権を握られている裏返しです」

一月一六日号の『週刊文春』（文藝春秋）では「日産関係者」が、社内クーデターの背後にいた政府関係者は菅と言っている。

「標的の一人は逮捕翌日に首相官邸を訪れた川口均専務執行役員（当時）と、その報告を受けた菅義偉官房長官です。川口氏はメディアの囲み取材に積極的に応じ、手土産に天丼を配って記者を懐柔しようとするなど、ゴーン氏排除の急先鋒の一人でしたが、内田誠新社長の体制下では居場所を失い、すでに退社しました」

あまりに日産寄りの報道をしたとして日本のメディアはテレビ東京などを除いてゴーンの記者会見からは排除されたが、日産よりも菅の存在を意識した報道をしたとすれば問題だろう。

もちろん、例外もある。二〇一七年八月八日の記者会見で、加計学園問題をめぐって過去の政府のワーキンググループでは学園側の発言が議事録に記されていなかったことについて、ある記者が辛辣な質問をしたからである。

「ある政治家は『政府があらゆる記録を克明に残すのは当然』で、『その作成を怠ったことは国民への背信行為』と言っているが、どなたかの発言かご存じですか?」

すると菅は、

「知りません」

と答えた。

「これ、官房長官の著作に書かれているんですが」

と畳み掛けられて、菅は苦い顔になり、

「あのー、私は（記録を）残していると思いますよ」

と弁解したが、これは官房長官の答ではないだろう。菅は「桜を見る会」の招待者名簿の電子データは復元できないと強弁した。自らの著書で言っている通り、それは「国民への背信行為」であることは明らか。

デタラメ能天気の安倍晋三を支えることがどんなに難しいとしても、菅はやはり、その共犯者である。

遺伝子組み換え大手モンサントが脅かす〝トランペット〟で狙われる日本市場

（二〇二〇年三月）

二〇二〇年二月六日付の『日刊ゲンダイ』に「遺伝子組み換えの総本山が裁判で負けている理由を聞いてみた」という記事が載っている。奥野修司&本誌取材班の連載「トランプに握られた日本人の胃袋」の第二六回である。

モンサントという悪名高き〝遺伝子組み換えの総本山〟企業があった。過去形にしたのは、二〇一八年にドイツのバイエルに約七兆円で買収されたからである。

モンサントは国際的にメディアをコントロールして巨利を得てきた。ところが、末期の悪性リンパ腫と診断された米カリフォルニア州のD・ジョンソンが、ガンの原因は除草剤の「ラウンドアップ」にあるとしてモンサントを訴えた。

ラウンドアップを散布していたら皮膚に痛みが出るようになり、モンサントに問い合わせても、反応がなかったため訴えたのである。

買収から三カ月後にモンサントは敗訴し、裁判所はモンサントを買収したバイエルに約三二〇億円の賠償金を支払うように命じた。

バイエルが上訴し、約八七億円に減額されたが、二〇一九年の五月には別の裁判で約二二〇〇億円の支払い命令が出た。

これについて元農水大臣の山田正彦は
「この前、ジョンソンさんの弁護士の一人に会ったら、裁判所から秘密保持命令が出ていない資料は全部提供すると言われました。ラウンドアップはガンを引き起こす可能性があることを、モンサントは十数年にわたって認識していたという内部機密文書を証拠として提出したそうです。すでに米国で五万件近い訴訟が起こされています。この機密文書がある限り、モンサントのピンチは続くでしょうね」と語っている。

モンサントの圧力に屈さず、フランスの女性ジャーナリスト、マリー＝モニク・ロバンが書いた『モンサント』（村澤真保呂他訳、作品社）という貴重な本がある。

オビには大きく「次の標的はＴＰＰ協定の日本だ！」

日本に遺伝子組み換え作物を輸入させる先兵として、この「遺伝子組み換え種子の世界一の供給会社」であるモンサントが存在していた。

つまり、ＴＰＰは「安全な食べもの」を安全でなくするのであり、日本がモンサントの毒牙に蹂躙されることになるのだ。

モンサントは、二〇世紀初めにサッカリンの生産会社として設立されたが、第一次世界大戦の間に、爆弾や毒ガスの製造に使われる化学製品を売ることによって、利益を一〇〇倍に増やした。

そして、ＰＣＢや枯れ葉剤、特に南ベトナム戦争で使われた「オレンジ剤」という名の除草剤等で巨大になった後、遺伝子組み換え作物にその手を広げたのである。

学者はもちろん、政府やメディアを巻き込み、「規制」をつぶしていくやり方は日本の原発マフィアとそっくり。

インドの農民は「あの会社の連中は毒薬と同じです。やつらは、死に神のように人間の命を奪っていきます」と叫んでいるが、メキシコ、アルゼンチン、パラグアイ、ブラジル等が次々にこのモンサントに襲われた。

著者に、北インドの農協組合のスポークスマンはこう言ったという。

「モンサントを調べてください。あのアメリカの多国籍企業は、要するに世界中の食糧を独占するつもりです」

もちろん、モンサントはトランプにも影響力を持っていた。それはバイエルに買収されても変わらないだろう。

日米同盟を基軸になどと安倍晋三は強調して、ほとんどトランプの言いなりになっているが、それによって私たちの健康そして生命が脅かされている。安倍をトランプのペット、つまり、「トランペット」と呼ぶらしいが、メディアはそれを厳しく監視し、批判しなければならない。

大反響！　元裁判長がタブーを破って語る

私が原発を止めた理由

樋口英明（元福井地裁裁判長）

原発の耐震性は
あなたの家より低い！

原発の耐震性は一般住宅よりはるかに低いという驚愕の事実。大飯原発の運転差し止めを命じた元裁判長が、「当たり前すぎる判決」の理由と、原発の真の危険性を訴える。

本体1300円（税別）

旬報社　〒162-0041 東京都新宿区早稲田鶴巻町544 中川ビル4F
TEL03-5579-8973　Fax03-5579-8975

権力と対峙する！ 佐高 信の3冊

佐藤優というタブー

〝雑学クイズ王〟佐藤批判はタブーか!?

「クイズの答的知識の多さに圧倒されるのは、自立した判断力を持たない優等生である。
私は二冊も佐藤と共著を出した責任を感じて、ここで佐藤批判を、特に佐藤ファンの読者に届けたい。」　1500円＋税

竹中平蔵への退場勧告

【緊急出版】菅内閣は竹中内閣だ！

国民に「自己責任」を押しつける菅首相の背後にあるのは、弱肉強食のジャングルの自由に戻そうとする竹中〝新自由主義改革〟だ！
学問を商売にする〝学商〟の一刻も早い退場を願って緊急出版する！　1300円＋税

佐高信の徹底抗戦

呼吸をするようにウソをつく安倍や小池のデタラメで無責任な強権政治に対峙せよ！

ありえないと思ってあきらめず、それをありうるかもしれないと思わせる激越さが徹底抗戦の思想の原点である。　1500円＋税

イベント自粛要請中に立食パーティー開催
産経新聞さえ指摘した安倍政権の〝弛み〟

（二〇二〇年四月）

さすがに、あまりに無能な安倍晋三に応援団もたまらなくなってきたのだろう。二〇二〇年三月六日付の『夕刊フジ』（産経デジタル）でケント・ギルバートが「もう少し落ち着いてリーダーシップを」と呼び掛けている。

新型コロナウイルスの感染拡大を抑えるために、突然、小中高の学校に休校を要請したことについて「ただ、国民の不安をあおる対策になっていないか、いささか疑問である」とし、一九二九年に始まった世界恐慌で米国大統領のフランクリン・ルーズベルトが「何も恐れることはない。恐れるべきは恐怖それ自体なのだ」という名言を残したことを引きながら、「政治家やリーダーに求められるのは、専門的な知識ではない。今ある情報を国民に正しく理解してもらい、国民の心をケアすることだ」と指摘しているのだが、最初から安倍に欠けていたその能力を厳しく批判しなかったのはケントなのではないかという疑問は湧く。さんざん甘やかしておいて、いまさら何だと安倍はケントに言いたいかもしれない。

ここに九二年発行の『人物ファイル御意見番』（自由国民社）がある。ギルバートとケント・デリカットの両ケントが収録されているが、デリカットの項に「英会話学校『ケント国際学院』を設立し、ギルバートとともにYENを稼ぐ」とある。

「八〇年に企業の法務コンサルタントとして来日した弁護士」のギルバートの項には「そのコメントに面白みはないが、英会話学校経営にも乗り出すなど、ビジネスは繁盛」と。

共に初期の「関口宏のサンデーモーニング」に出ていたので、私もよく一緒になった。しかし、その路線では「YENを稼ぐ」ことはできないと思ったのか、現在のようなウルトラ右翼路線に転向した。信念よりソロバンの人で、だから私は暗い印象しか持っていない。三百代言の弁護士は立場を変えるのも自由自在だ。

キワモノのベストセラー『儒教に支配された中国人と韓国人の悲劇』（講談社＋α新書）でも、薄っぺらな〝知識〟を恥ずかしげもなく披露している。

薄情な応援団は見切りも早い。安倍では商売にならなくなると思ったのか、『産経新聞』も二月二九日付の「主張」で首相の休校要請をかなり厳しく批判している。

「問われるのは、この措置についての説得力ある説明だ」とし、二月二九日の記者会見も「一月中旬に日本で感染者が確認されてから初めての会見であり、遅きに失した感は否めない」と続ける。

『朝日新聞』は読まなくとも、安倍は『産経新聞』は読んでいるだろう。次の指摘も当然のことながら、耳に痛かったのではないか。

「政府のこれまでの対応は後手に回り、情報開示も不十分だった。その点への真摯な反省はもちろん必要だ。同時に、国民が国政の最高責任者の説明を求めていることを銘記すべきである」

そして『産経新聞』の「主張」は次のように結ばれる。

「企業などは政府の呼びかけに協力し、相次いでイベントの中止・延期を決めている。そのような中で秋葉賢也首相補佐官が（二月）二六日夜、立食形式の政治資金パーティーを開いた。言語道断で首相を支える任に堪えない。更迭することが当然である」

『産経新聞』でさえこう言っているのに、安倍は秋葉の更迭を拒んだ。立食形式のパーティーはとりわけ感染しやすいから止めようと政府が宣言している最中に首相補佐官がそれを無視し、更迭しなかったのだから、安倍も認めたということである。

緊張感がまったくないのだ。真剣味が足りないのは秋葉だけではなく、地元のパーティーに行った小泉進次郎や森雅子らの閣僚も同じ。稲田朋美の誕生会に出掛けた安倍をはじめとして、まったく、「鯛は頭から腐る」と言うしかない。

（二〇二〇年五月）

五輪優先で後手に回ったコロナ対策
森友問題で小泉元総理が安倍を糾弾

「改革というのは民衆からの、下から目線の改革でなければなりません。真の改革は下からの盛り上がりがなければいけない。小泉（純一郎）さんだとか安倍（晋三）さんだとかの上から押し付けるやり方は改革ではなくて、明らかに圧力なんです。真の改革は下からわき上がる声だということを私はいつでも肝に銘じていたいんです」

二〇一六年に仙台で開催した「佐高信政治塾」で私にこう強調したのは鈴木宗男である。

こんなにも激しく批判した自民党と鈴木は一年も経たずに手を結び、今や安倍ベッタリ。

しかし、その安倍の能力のなさは今度のコロナウイルス問題でも無残なまでにハッキリした。

安倍を引き上げた小泉が『週刊朝日』（朝日新聞出版）の二〇二〇年四月一〇日号で「安倍さんは辞めざるを得ない」と言っている。「最後通告」だという。

コロナよりオリンピックが大事という感じだった開催延期騒ぎについて小泉は、「私はそもそも真夏に開催する五輪に手を挙げないよ。招致した時点でおかしいと思っている。五輪招致委員会は『一番いい季節で』と言って招致した。日本の一番いい季節は春か秋ですよ。真夏の開催はアスリートにとっても観客にとってもよくない」とバッサリ。

森友問題で自殺した近畿財務局職員の赤木俊夫の遺書が公開されたことを問われて、

「週刊文春に載った奥さんが公開した手記は読んだよ。財務省、ひどいじゃないか。あんなことをやっていたんだね」

と答え、そもそも公文書改ざんは安倍の「自分や妻が関わっていたら総理も国会議員も辞める」

と言ったことから始まっているのだから、安倍の責任は「十分にある」と続ける。

「私はその発言を聞いたとき、辞めざるを得ないなと。なんであんなことを言うのかと思ったよ」

と断罪した小泉は、安倍が関わっていたと考えるかと尋ねられて

「誰が見たって関わっていたというのはわかるじゃないか。夫人が名誉校長になっていたわけでしょ。安倍さんはあの状況で関わっていないことをどう証明するのかね。嘘を言っているということだろう」

と断定している。

「原発問題（というできること）もやらずに、憲法改正なんてできないよ」とも小泉は言っているが、小泉には安倍を後継者にした責任も自覚してほしい。

籠池泰典＋赤澤竜也の『国策不捜査――「森友事件」の全貌』（文藝春秋）に、メディアにからんで見逃せない記述が出てくる。

森友問題は『朝日新聞』二〇一七年二月九日付「金額非公表、近隣の一割か　大阪の国有地、学校法人に売却」という記事でクローズアップされた。

これを掘り起こした豊中市議の木村真が、売却金額の不開示処分取消訴訟を起こしたことを受けた報道である。

これに赤木の上司だった池田靖が籠池に電話をよこし、有無を言わさぬ口調で「今後、近畿財務局が記事について問い合わせを受けた際、『記事は事実誤認であり、森友学園は今も国に対して非

開示を求めている』と答えさせてもらう。籠池さんもいろんなマスコミから事実関係を問われると思うので、その方向で返答してください」と申しつけたという。

都合が悪くなって籠池への評価を変えた安倍に国会で福島伸享という議員が呆れて、こう言った。

「先週、総理は『いわば私の考え方に非常に共鳴している方』と、同志愛を示され（中略）、相思相愛のような感じだったんですけれども、この一週間で随分変わってしまったんだなというふうに思っております」

（二〇二〇年六月）

三密を避けるなら多極分散国づくりを　ＪＡ新聞で農民作家の山下惣一が提言

どうにもならない閉塞の日々の中で、『農業協同組合新聞』（農協協会）二〇二〇年四月三〇日号の農民作家、山下惣一の「多極分散国づくりめざせ」に、なるほどと思った。

佐賀県在住の山下は、コロナウイルス騒動が「田舎暮らしの安全・安心」を教えてくれた、と語る。それは「食」を生産・保有していることの盤石の強さに裏打ちされている。

感染を防ぐために「密閉」「密集」「密接」の三密を避けよと叫ばれているが、それはまさに都市機能そのものであり、「そんな都市で現在よりも人との接触を八〇％減らすなどということができるのだろうか。もし出来たとしたら、それで都市は生き残れるのか」と山下は問い掛ける。

「都会では人に会うなというが田舎では会いたくても人がいないのだ」と指摘する山下は「オーバーシュート」だの「クラスター」だのといった耳慣れない言葉が頻発するテレビを「まるで別の国の放送」のように見ているという。

そして岩手県は感染者が四月二〇日時点でゼロなのだから、「早い話が岩手県みたいになればいいのだ」と主張する。

大平正芳が首相になって打ち上げた「田園都市国家構想」に山下たちは熱い期待を寄せたが、その多極分散型国土形成があらためて見直されるべきだというのである。

一九八四年に出された山下の『村に吹く風』（新潮社）の「あとがき」に、「この秋、コメは久しぶりに豊作である。喜ぶべきか、憂うべきか、まだ決めかねている」とある。

『いま、村は大ゆれ。』（ダイヤモンド社）など、辛口ユーモアのエッセイも書く山下の痛烈な皮肉だが、山下の友人は、かつて「初めての減反の時は役場も農協もペコペコ頭さげて、涙をのんで協力してくれと頼まれたもんだ。それが、いつどこでどうなったのか。いまではあいつらそっくり返って、コメが余っているんだから減反するのは当然だといわんばかりの態度じゃねえか。ほんなこつ腹の立つ」と言ったとか。

そして山下も「食糧危機がきて農業が見直される前に、百姓がまいってしまうんじゃなかとか」

とつぶやいていたのだが、「猫の目農政」どころか、「猫も目をまわす」ほどクルクル変わる農政によって気力を喪失させられるだけでなく、農民は次のような〝足払い〟も食う。

日曜日に県道の傍らの畑で山下と奥さんが草むしりをやっていると、行楽のマイカーから真っ赤なパンタロンスーツの若い母親と一緒に小学三年生くらいの子どもが降り立ち、

「ね、ママ、あのおじちゃんたち、何か悪いことしたの」

「なぜ？」

「だって、悪いことしなきゃ、あんなことさせられるはずがないでしょう」

「なんでなの」

「だって、学校ではね、宿題忘れたり、喧嘩した子に罰に草むしりさせるよ」

ママと子の会話はこう続くのだが、呆然とする山下の耳にトドメを刺すように子どもの声が届く。

「よっぽど悪いことしたんだね、あのおじさんたち」

山下はこの後に「わたしも妻もしばらく黙って草をむしった。いまの教育の中で、農業は犯罪者の刑罰として組みこまれ教えられているのだな、と思った」と書いている。

こうした〝教育〟によって、学校を卒業して農業に就く「新規学卒就農者」は、国家試験に通って医者になる人数をはるかに下まわってしまった。食糧の自給率は四割を切っている。欧州では、食糧の自給率が低い国は戦争をしたがる国とされているという。なくなれば他国に攻め入って分

捕ってくるしかないからだ。自給率の問題を含めて、この国はいま、これからどうするかを山下の提言に真剣に学ばなければならないだろう。

（二〇二〇年七月）

麻生副総理「民度発言」で差別大国露呈
国内外メディアが一斉報道した日本の恥

二〇二〇年六月四日の麻生太郎ならぬ阿呆太郎の「民度発言」には呆れて、「お前が首相になってしまったことこそ、民度の低さの表れだろう」と憤慨したが、六月八日付の『日刊ゲンダイ』が、新型コロナウイルスでの日本の高い死亡率を海外メディアも指摘している、と報じている。『ワシントン・ポスト』は麻生のかつての「ヒトラー発言」も紹介し、『ブルームバーグ』は、「民度の高さがウイルス克服に役立った」と麻生は言ったが、「しかし、台湾や韓国など死亡率が低いアジアの中では、日本は突出していない」と批判している。

実際、慶応大客員教授の菅谷憲夫によれば、五月一六日現在、人口一〇万人当たりの死亡者は〇・五六でフィリピンの〇・七七に次いで、二番目に多い。ちなみに、台湾は〇・〇三、タイが〇・〇八、韓国〇・五一、中国〇・三二、インド〇・二〇、バングラデシュ〇・二一。『ゲンダイ』は「『麻生理論』だと、日本の『民度』は、こうした国より低いということになる」と痛烈に皮肉っている。

アジア以外では、アメリカが二六・六一、イギリスが五〇・四六。

恥ずかしくて引用できない「ヒトラー発言」が問題になったころの二〇一三年八月一五日、二二日合併号の『週刊新潮』（新潮社）で、麻生の元愛人が麻生を「人の痛みがわからない人」と難じている。

「太郎さんのナチス発言は結局、あの人の人間性の問題。相手の立場を思いやることができず、自分に何が欠落しているのかもわからない、そういう人なのです」

彼女は八年間の付き合いの中で、二度、子どもを堕ろした。

「僕の子どもを産まないでくれ」

と繰り返し言われていたからである。

別れた後に麻布の飲食店で偶然出会った時も、彼女が声を掛けたのに麻生はこの上もなく迷惑そうな顔で無視したとか。

「人の痛みや苦しみがわからないから、〝ナチス発言〟も撤回こそしていますが、本音では〝なにがいけないいんだい〟って世間が騒ぐことを理解できていないはずです」

二〇〇一年春の大勇会（麻生の派閥）の会合で、麻生は、「野中（広務）やらAやBは部落の人間だ。だからあんなのが総理になってどうするんだい。ワッハッハッハ」

と笑った。

そして、当時、総理候補に名前の挙がっていた野中を、総理にしてはいけない、と言い放ったのである。

そんな、それこそ民度の低い差別主義者の麻生こそ、絶対、「総理にしてはいけない」人物だったが、残念ながら、その後総理になってしまい、現在は副総理である。

「一国のトップに立つべきじゃない」麻生について、野中は辛淑玉との共著『差別と日本人』（角川新書）でこう嘆いている。

「実際そう思っているんでしょ。朝鮮人と部落民を死ぬほどこき使って金儲けしてきた人間だから」

これを受けて辛も「他の先進国でこんな発言をしたら、たとえ過去の発言であっても一発で首が飛ぶ」と怒っているが、〝差別大国〟日本では、こんな麻生でも総理になってしまった。

現実に麻生鉱業、麻生セメントはそうやって大きくなってきた。

「麻生鉱業は、強制連行されてきた朝鮮人を強制労働につかせ、消耗品の労働力として、その命を紙くずのように扱った。一九四五年までに麻生系の炭鉱に連行された朝鮮人は一万人を超える。賠償は今に至るまで行われておらず、遺骨さえまだ遺族の元に戻っていない。また、麻生炭鉱は部落民を一般の労働力と分け、部落民専用の長屋に入れて奴隷のように酷使した」と辛は告発しているが、麻生はそれを聞く耳を持っていない。

戦後政治の生き字引が語る黒川前検事長報道されない検察庁法改正案の舞台裏

（二〇二〇年八月）

『俳句界』（文學の森）という雑誌で「佐高信の甘口でコンニチハ！」という対談を続けている。第一回が二〇〇五年一二月号の筑紫哲也だった。以来、あまり俳句とは縁のない人たちに登場してもらっている。二〇二〇年八月号のゲストが元参議院議員の平野貞夫。平野と私は『自民党という病』（平凡社新書）という共著も出しているが、黒川弘務元東京高検検事長を巡る内幕話がとても興味深かった。

小沢一郎のブレーンでもある平野を私はこう紹介した。

「高知の土佐清水出身で、法政大学を出て、衆議院の事務局に放り込まれる。この事務局が後年の平野さんをつくった。園田直という自民党の異能だった男ですが、彼が衆議院副議長になったときに、ほかの人では手に負えないので、平野さんが秘書になった。その後は前尾繁三郎衆議院議長の秘書にもなる。前尾さんが法務大臣をやったために、法務検察にものすごく強く、人脈も持っている」

事務局は国会で与野党双方を見られるので平野はいわば戦後政治の裏を含めた生き字引という存在である。

その平野が、まず黒川は将来検事総長になる器だと見られていたとメディアが書いたことに「とんでもない」と反発する。「本当にマスコミはおかしい」と憤りながら、彼は検事に向かないので法務省の内局に勤めたのだと訂正する。

そして、秘書課長となって政治家と接触し始めてから活躍しだした、と解説する。その後、官房長に就任して、ますます政治家との関わりが深くなる。検察の本流ではない汚れ役として注目されるようになるのである。

政治家たらしの黒川が、最もうまく手なずけたのが民主党政権時代の法務大臣、千葉景子だった。この時、元最高裁判事の香川保一と元官房長の金銭スキャンダルが発覚したが、黒川はこれを千葉を操って見事につぶす。それで法務検察は民主党に借りができ、その借りを返せと民主党が迫って、強引に検察審査会で小沢一郎を有罪にしようとする。当時の民主党の菅直人や仙谷由人は小沢の力を使って自民党に対抗すればいいのに、内輪もめで小沢を排除するのに検察、つまり黒川を使ったのである。それで黒川の存在も大きくなっていく。

では、安倍晋三はなぜ黒川に固執して、彼を検事総長にしようとしたのか。安倍および自民党政権は森友問題をはじめ、小渕優子や甘利明の事件をクローズアップさせないできた。その立役者が黒川である。

「安倍はそのお返しというより、政権から降りた時に、自分の検察へのセイフティーネットをつくっておかなくてはいけなかった。そのためには、何がなんでも、黒川を検事総長にしたかった」

こう語る平野は、河井克行、案里夫妻の一件で、安倍の足元に火がついているのだとし、次のように指摘する。

「いま情報として出ているのは、どうも広島地検がリークしたのではないかと思います。一億五千万のうち、一億は安倍事務所と公明党に還流されているのではないかと、現地の関係者の情報で出ている。安倍の秘書が、日帰りなのに、アルミニウムのトランクを持ってきて、日帰りしたという話もあるようです。資金を持ち帰ったのではないかと」

自公連立の中で公明党（創価学会）は、これまで何度か溝手顕正と書いてきた。それを河井案里に変えさせるため、公示日の三日前に創価学会会長の原田が説得に入ったらしい。いずれにせよ、黒川は検察の主流ではなかった。

平野はこんな予想もした。

「七月の二十日ぐらいが山場じゃないかなあ。うまくいけば、安倍も辞める、稲田も辞める、林は検事総長につくという構図になるかもわからんです」

残念ながら、新聞記者がこれほどわかりやすく説明した例を知らない。

安倍政権閣僚は半分が世襲議員
「国民政党」改め「階級政党」に

（二〇二〇年九月）

『東京新聞』社会部記者の望月衣塑子と『なぜ日本のジャーナリズムは崩壊したのか』（講談社＋α新書）という対論を出した。

望月は官房長官の菅義偉に食い下がって質問をすることで知られるが、記者としては当たり前で、黙って聞いている他の記者の方がおかしいのである。

しかし、数少ない望月の援軍もいる。例えば『朝日新聞』の記者で新聞労連委員長の南彰。彼がある時、「政府があらゆる記録を克明に残すのは当然で、議事録は最も基本的な資料です。その作成を怠ったことは国民への背信行為」と本に書いている政治家は誰か分かりますか、と菅に尋ねた。

菅が「知らない」と答えると、南は「これはあなたの本です」と明かした。

「その後」を望月がこう語る。

「じつはこれを二〇一七年八月八日の記者会見でやられて、菅が大激怒。そこから『オフレコ懇談をやりません』と言い出した。夜のぶら下がりをやらないとなって、夏休みもあったので、数週間にわたって菅のオフレコ懇ができない状態になっていました」

メディアがだらしないから、モリカケ、桜、そして河井克行夫妻と問題だらけの安倍（晋三）内閣が崩壊しないのか。内閣がひどいから、メディアもピリッとしなくなるのか。どちらかハッキリしないが、私は『月刊日本』六月号の特集「日本は『身分社会』になった」で、自民党は「自由世襲党」に改称しろ、と提唱した。

「いまや世襲議員の割合は自民党議員の四〇%、閣僚の五〇%に上っています」と編集者に言われて、私は

「かつて自民党は『国民政党』と呼ばれたが、いまや世襲のボンボンが牛耳る階級政党になってしまった。もはや自由民主党という看板には偽りがあるから、実態に合わせて党名を『自由世襲党』に変えるべきだな」と答えた。そして

「しかし、ボンボンに政治を任せたら国が滅ぶ。現にいま滅びかかっているわけでしょう。国を守るためには、何としても自民党の世襲制は打破しなければならない。

まず必要なのは、自民党を割ることです。自民党の世襲制は非世襲議員が世襲議員を支えることで成り立っているわけだから、自民党をボンボン党と非ボンボン党に割ることで、この構図をぶち壊さなければならない。分党後の党名は『自由世襲党』と『自由利権党』でいいんじゃないか。

その次は小選挙区制を変える。小選挙区制は『地盤・看板・鞄』を持つ世襲候補に圧倒的に有利な仕組みで、いまや『世襲選挙』『世襲特区』になっている。これでは民主主義に反するどころか、

封建制そのものでしょう」と続けた。

いまの日本は江戸時代どころか鎌倉時代に逆戻りしているといっても過言ではないのである。その自民党を与党として助けているのが公明党で、バックに創価学会が控えている。

一九七五年にその創価学会と日本共産党がお互いに攻撃し合わないという「創共協定」を結んだ。現在、それはほとんど忘れられている。

当時、創価学会の会長は池田大作で、共産党の幹部会委員長が宮本顕治だった。その二人が松本清張の仲介で手を結んだのである。

私は今度出した『池田大作と宮本顕治』（平凡社新書）で、池田と宮本の独特のキャラクターを紹介しながら、なぜ、この協定が結ばれたのか。その背景と舞台裏をさぐった。

藤原弘達の『創価学会を斬る』（日新報道）の出版を妨害したとして池田は批判にさらされたのだが、特に激しかった共産党のそれをかわすために、創共協定の締結を急いだとも言われ、最初からそれは死文化の運命をたどっていく……。

河井前法相ら忠臣たちの失態忘れ菅義偉政権誕生で始まる恐怖政治

（二〇二〇年一〇月）

二〇二〇年九月八日付の『夕刊フジ』（産経デジタル）のコラムで宮本雅史が「河井（克行）夫妻の初公判であきれた」と書いている。「よくも堂々と現金を配り歩いたものだ」というのである。その通りだろう。『産経新聞』編集委員の宮本が〝感心〟する、そんな河井が菅義偉の側近中の側近だったことは、残念ながら忘れられている。河井を法務大臣にしたのも菅だったといわれるが、だとしたら、菅という人間に大きな疑問符がつかないだろうか。もう一人、経産大臣を辞めざるを得なかった菅原一秀も菅の忠臣だった。

また、コネクティンググルーム疑惑で有名になった首相補佐官の和泉洋人も菅の腹心として知られる。

そんな和泉が、加計学園問題という権力の私物化を告発した元文部科学次官の前川喜平の「出会い系バー話」をマスコミに流した。もちろん、菅がその背後にいたことは言うまでもでもない。

しかし、前川が姿を現しただけで、それが和泉スキャンダルのような卑猥なものではないことが分かった。

その前川が九月二〇日号の『サンデー毎日』（毎日新聞出版）で「菅政権は安倍政権以上に危険だ！」

と警告を発している。官僚の「下僕」化がさらにひどくなる、というのである。

安倍（晋三）退陣は次を石破（茂）にしないための演出だったという見方もあると指摘した上で、前川は、

「外交の安倍と言うが、拉致問題は何も解決しなかったし、プーチン露大統領とあれだけひざ詰め談判した形はとったが結局領土は一ミリも帰ってこない。韓国、北朝鮮、中国との関係も全く良くならない」

と批判する。

アベノミクスならぬアホノミクスの経済はどうか。

「コロナ禍でこれだけ経済が停滞しているのに株価だけ高い異常な世界が現出した。我々の年金資金までつぎ込まれている。日銀もまた国債と株を大量に抱え込まされ、後始末しようにも出口が見えないところまで追い詰められた」

アホノミクスと名づけた浜矩子は、今後は菅になって、スカノミクスとなるという。スカスカの経済政策というわけである。

実質〝菅政権〟だった安倍政権は官僚を下僕化したと前川は次のように糾弾する。

「安倍政権になって、官邸が肥大化し、官邸官僚と呼ばれる人たちが本来各省がやるべき政策の企画立案までやってしまう。各省はその下請け機関になっていた。霞が関を骨抜きにしたわけだ。自

分になついてくる、というか、自分が信を置く少数の人間だけで決めてしまう。広く議論しない。だから、間違ったことがそのまま通ってしまう」

安倍後継として、モリカケ桜については再調査しないと記者会見で明言したのも大問題だが、そんな菅の人気が急に上がってしまうのはどうしてなのか。

前川の怒りは続く。

「文科省の違法天下り問題の責任を取って一七年一月二〇日に次官を辞めた時のことだ。菅氏が官房長官会見や国会答弁で私が地位に『恋々としがみついた』と批判したことがあったが、全くの誤りだ。むしろ私は責任を取りスパッと辞める意思を杉田副長官には一月五日の段階で告げており、意図的に話を捻じ曲げたとしか思えない。今でも名誉毀損に当たると思っている」

辞めた前川の名誉は毀損し、逆らった役人はすぐに首を斬るか、飛ばす。菅はまさに恐怖政治の執行人なのである。

「菅氏はふるさと納税が大好きで、盾突いた総務省自治税務局長は飛ばされた」

と前川は語っているが、陰湿、陰険、少しも明朗闊達さのない菅の政治がこれから始まる。今度出す『佐高信の徹底抗戦』（旬報社）の題名通り、私はそれに抵抗し続ける。

前政権に続き菅首相も〝パソナ平蔵〟重用
東京新聞が「コロナ焼け太り？」と批判

（二〇二〇年一二月）

拙著『竹中平蔵への退場勧告（レッドカード）』（旬報社）のオビには大きく「菅内閣は竹中内閣だ！」とある。

小泉純一郎内閣で竹中が総務大臣になった時、菅義偉が副大臣となり、その後、総務大臣に就任して以来、菅のアタマは竹中の考えに毒されているからである。

とっくに葬られていなければならない竹中は、『朝日新聞』までが大々的にインタビューを載せたりするので、なかなか退場しない。それどころか、菅が首相になって、ますますのさばるだろう。

二〇一三年一月九日付の『日刊ゲンダイ』は「日本経済再生本部」の傘下に設けられた「産業競争力会議」の委員となった竹中が「安倍内閣の命取りになる」とし、私もコメントを求められたので、こう指弾した。

「安倍（晋三）内閣は内外に、再び格差を拡大させると宣言したようなものですよ。まして、竹中氏には多くの疑惑が積み残されている。日本振興銀行を作った木村剛氏は逮捕された。認可した竹中氏はなぜ無傷なのか。学者時代は日本と米国を行き来することで課税を逃れている〝逃税〟も指摘された。さらに規制緩和で儲けた外資の手先ともいわれました。そんなこんなで、しばらくは表舞台から消えていたのに、選挙前に維新の会の候補者選定に関わり、ちゃっかり安倍内閣で復活した。自民党のいい加減さ、ケジメのなさの象徴です」

どこまでも強欲な竹中は、自らが推進した規制緩和で大きくなった人材派遣会社のパソナの会長に就任し、一億円の年俸を得ているといわれる。

それなのに『「改革」はどこへ行った?』(東洋経済新報社)などという愚書で、「改革を実施すると、必ず既得権益を奪われて、困る人たちが出てきます」などとモットモらしいことを言っている。そんなセリフは〝新既得権益〟のパソナ会長の椅子を放棄してから言うべきだろう。

メディアにはなかなか載らない竹中批判が二〇二〇年六月一七日付の『東京新聞』「こちら特報部」で展開された。

見出しに大きく「竹中氏コロナ焼け太り?」とあり、「『派遣』旗振り会社の利益に」と続く。

新型コロナの影響で売り上げが減った事業者に最大二〇〇万円を補助する持続化給付金の事業を電通を通じてパソナは一七〇億円で請け負った。

経済アナリストの森永卓郎は「コロナで政治全体がインサイダー取引みたいになり、仲間内でおいしい思いをしている。竹中氏はその中で重要な地位を占めている」と批判している。

大体、企業行動についての規制を緩和し、派遣労働を拡大してパソナが急成長するのに竹中は大活躍した。

その結果、企業の内部留保は四七五兆円にもなっている。これを労働者に分配していれば、それぞれの購買力が高まり、コロナ禍でも耐えられる人が増えていたはずである。

パソナの会長として派遣の拡大を進めた竹中を、その『東京新聞』で私は「利己的な姿勢が目に付く」として、こう断罪した。

「学者の振る舞いではない。普通ならそんな職に就かない。近年も政府の会議で委員を務めている。自らに利益を導くためではないのか」

「政府が果たすべき社会的な役割をないがしろにし、『黒字か赤字か』『利益が上がるか』という短絡的な考えを広めた」

竹中は日本マクドナルドの創業者、藤田田に取り入って、フジタ未来経営研究所の理事長になった。そして公開前のマクドナルドの株を、彼に言わせれば「適正な価格」で取得するのだが、それで私は彼に〝マック竹中〟という綽名をつけた。マック竹中でパソナ平蔵である。しかし、彼はこのニックネームを喜んでいないらしい。

大阪都構想破談の裏に二階幹事長 公明党が賛成に鞍替えも票は動かず

（二〇二一年一月）

二〇二〇年一一月一日の大阪都構想を巡る住民投票で、公明党（創価学会）のみっともなさは際立っていた。

五年前は反対したのに、日本維新の会に脅されて今度は賛成では、さすがに支持する創価学会員もとまどってしまうだろう。

図々しいのは公明党代表の山口那津男。一一月五日付の『夕刊フジ』（産経デジタル）で「大阪市民の選択の結果を厳粛に受け止めたい」と殊勝なことを言いながら、「あえて次のことを指摘しておきたい」として、「市民を真っ二つに分断した結果のしこりを残さないこと」を挙げている。

まったく、どの口で言うのか、である。

五年前に反対で今度は賛成という公明党の態度が混乱を招き、「市民を真っ二つに分断した」のではないか。

また、山口は「今回の結果が、国政における自公連立政権の枠組みに直ちに影響はないと言ってきた」と書いているが、これを読んで怒らない自民党員とその支持者はいないだろう。横っ面を張っておいて、これは大したことではないんだから気にするなと一方的に言われても、バカにするなと憤慨するしかあるまい。「今後とも、安定した自公の政権運営に揺らぎを与えてはならないとの責任感で対応していきたい」と山口は続けているが、「揺らぎ」の原因をつくった当人がこんなことを書くのだから、その厚かましさに呆れる。

この舞台裏について、『週刊現代』（講談社）一一月一四日&二一日合併号の「ジャーナリストの目」が興味深い。筆者は森功である。

森はまず、「そもそも住民投票は必要だったのか」と問いかけ、今回と前回で大阪市は二〇億円の税金を投じたと指摘する。現大阪市長は維新代表（当時）の松井一郎だった。維新は「あれだけ行政の無駄遣い解消を強調していながら」である。

首相の菅義偉と松井、そして橋下徹は歩調を合わせてこれまでやってきた。維新は菅とタッグを組んで大阪都構想を進めてきたのだった。

ところが、今回、負けてしまった。

「実は、自民党幹事長の二階俊博の存在が、そこに微妙な影を落としている」と森は分析する。和歌山が選挙区の二階はそこでカジノ構想を実現しようとし、大阪に持って来ようとする維新とは対立してきた。

森によれば「自民党大阪府連が都構想に反対してきたのも、二階の意向が大きい」のである。

さらに、共に創価学会との太いパイプを持つ二階と菅の争いがあった。

菅のそれは学会副会長の佐藤浩で、それこそ公明党の頭越しに直接連絡し合ってきた。

二階は〝常勝関西〟の立役者である関西創価学会のドン、西口良三（総関西長）と気脈を通じ、西口が五年前に亡くなった後は副関西長の森川が二階とのパイプ役となっていたといわれる。

「維新の失敗は、松井さんが菅さんの佐藤副会長ルートで学会を説得し、公明党の山口代表に応援を頼んだこと。それで関西の創価学会はむしろ反発し、逆効果だった。挙げ句、松井さんは公明の支持は五割でいい、とまで譲歩し、学会は事実上、自主投票とした。で、反対票が増えたのでしょう」

学会のある幹部はこう説明したという。

つまりは「菅対二階のミニバトル」で、結果は二階の勝利だったというわけである。

いずれにせよ、住民無視のキナ臭い都構想が否決されてよかったが、橋下は投票翌日のテレビ番組に出て、

「今回ある意味、どこが一番勝利したかというと公明党。（略）表面上は維新と手を握ったが、結果として公明の票が動いてなかったことは明らか」

と言ったらしい。くやしまぎれの公明党への皮肉だろう。

四——読書日記

絶望の泥染めをして希望は生まれる

（二〇一九年一〇月）

●藤沢周平『よろずや平四郎活人剣』上下（文春文庫）

安田純平さんが彼の地で拘束中に思い出していた作品ということで読む。

四日は『週刊ポスト』で私の「寿影」を撮ってくれた渡辺達生さんの〝寿影展〟を観に銀座へ。ちょうど渡辺さんがいて少し話す。

例によって、私が恐い印象だったので最初は緊張した、と。隣にいたツレアイがそれを聞いて笑う。この場合の「笑う」は「嗤う」に近い。

●深沢潮『ひとかどの父へ』（朝日文庫）

●田中稔『忖度と腐敗』（第三書館）

田中さんはいま、『社会新報』の編集長なり。

みやび出版の伊藤雅昭さんが編集している『ｍｙｂ』という雑誌の終刊号の特集「令和への伝言２０１９」に求められて次の原稿を寄せる。他には樋口恵子、山折哲雄、熊沢誠、早乙女勝元、羽仁進などの各氏。題して「石橋湛山の元号廃止論」。

〈今度の参議院選挙で、山本太郎率いる「れいわ新選組」の勢いが評判となったが、私は違和感が消えなかった。

まず、「令和」という元号をなぜ冠したのか？　右翼側がこれを使うことができないよう先に命名したとも言われるが、やはり、天皇制につながる元号はおかしい。「新選組」も語呂合わせ的に言えば、新鮮でない。

五年前に九七歳で亡くなった私の母は一九一七年生まれだった。翌年に田中角栄と中曽根康弘が生まれている。母と同い年はジョン・F・ケネディであり、ケネディは田中や中曽根より一歳上なのである。若くして暗殺されたから、そうは思えないだろう。ケネディと対した当時の日本の首相は池田勇人だった。もちろんケネディよりずっと年上で、現在は逆に安倍晋三よりトランプの方が年上だから、アメリカも老大国になったと言える。

いずれにせよ、一九一七年を大正六年などと言っていては、国際感覚を養えない。ケネディを大正六年生まれというようなものだからである。

そんな元号を廃止すべしと主張したのは石橋湛山だった。自民党総裁選挙で岸信介を破って首相となった湛山は病気になって二ヵ月足らずで辞任してしまったが、一九四六年一月一二日号の『東洋経済新報』に次のように書いた。

「此の支那伝来の制度のために常に我が国民はどれ程の不便を嘗めているか。早い話が大宝元年というても、西紀の記入でもなければ、何人も直ぐに何時頃の事か解るまい。況や欧米との交通の繁しい今日、国内限りの大正昭和等の年次と西暦とを不断に併用しなければならない煩しさは馬鹿馬鹿しい限りだ」

その通りだろう。しかし、その後も元号は平成、令和と続いている。

大正という元号をスクープしたのは『朝日新聞』記者だった緒方竹虎だった。緒方は後に政治家に転じて吉田（茂）内閣の官房長官となる。

スクープだから号外が出たのはわかる。ところが、今度の令和では発表された後に『読売新聞』や『朝日』が号外を出した。これでは〝官報〟ではないか。その官報的号外を『読売』は一〇三万部、『朝日』も二〇万部発行したというのだから呆れてしまう。

〝思想家〟を名乗る内田樹も「元号擁護論者」らしいが、私はそうした人間たちを信じない。〉

●佐高信『いま、なぜ魯迅か』（集英社新書）

渾身《こんしん》の書き下ろしと言いたいところだが、できばえはあくまでも読者が判断するもの。

集英社のPR誌『青春と読書』一一月号に著者インタビューが載り、それを読んだ哲学者の鷲田清一さんが一〇月三〇日付の『朝日新聞』「折々のことば」に「絶望の泥染めをしないと本当の希望が浮かび上ってこない」という私の言葉を取り上げ、次のように解いてくれた。

「大島紬が絹を泥に浸すことで独特の光沢を得るように、希望も絶望の果てに立ってはじめて真の輝きを得ると、評論家は言う。昨今の現実は『明るい話』や『安売り』の希望にもたれかかって済むものではない。でも人はそんな社会のありようを丹念に問い糾《ただ》しはしない。近ごろそのことに焦《じ》れてばかりいると」

●斎藤眞『関西電力「反原発町長」暗殺指令』（宝島社）
警備犬を使って町長を暗殺しようとした者が失敗し、その計画をブチまけた。二〇一一年に出た時には、いささかならず荒唐無稽だとして売れなかったが、高浜町元助役、森山栄治の一件がバクロされてからは、リアリティが増して、宝島社は再刊し、書店に平積みされている。

私は『日刊ゲンダイ』でこの本のことを知って、すぐにアマゾンで買ったので六〇〇〇円超で入手。

●五木寛之『作家のおしごと』（東京堂出版）
九日夕、『俳句界』二〇二〇年一月号の対談を五木さんと。
一一日から一二日にかけて大型台風。

●小池真理子『望みは何と訊かれたら』（新潮社）
前は途中で挫折したが、今度はスリリングに読んだ。

●奥村宏『徹底検証　日本の電力会社』（七つ森書館）
あらためて読み直す。

●内山嘉吉、奈良和夫『魯迅と木刻』（研文出版）

●北康利『胆斗の人　太田垣士郎』（文藝春秋）
「黒四で龍になった男」である太田垣は出処進退が見事だったが、その太田垣が芦原義重を後継者にして関電はおかしくなった。

一六日、深沢潮さんと『俳句界』の対談を終えて、足立区の竹の塚へ向かう。なぜかは『荘内日報』の「思郷通信」に書いた次の拙稿の書き出しを読んでほしい。

〈深夜、一仕事を終えてぼんやりテレビを見ていたら、酒田出身の夫婦がやっているラーメン屋が出てきた。東京都足立区竹ノ塚三丁目にある「煮干し中華そば 山形屋」である。飛島産のトビウオの焼き干しなどを使っているらしい。これは三浦と一緒に行かなければとすぐに思った。名が光紀の三浦は高校以来の友人で、六〇年のつきあいになる。電話をしたら、もちろん即OKで、某日、東武スカイツリーラインの竹ノ塚駅で待ち合わせをした。〉
●村田沙耶香『コンビニ人間』（文春文庫）
読み通せず。これが各国語にも翻訳されている作品なのか？

二二日、松元ヒロさんを伴って神楽坂の早野透宅へ。インターネットTVの「デモクラシータイムズ」で「佐高信の隠し味」を撮るためである。

夕刻から安田純平さんが加わり、歓談。

二五日は『マスコミ市民』の石塚さとしさんのインタビューを受けた後、辛淑玉さんの弟の通夜へ。鎌田慧、金城実、知花昌一、安田浩一の各氏も駆けつけていた。私は朴慶南さんからの電話で、弟の死を知った。

●深沢潮『伴侶の偏差値』（小学館文庫）

三〇日は『月刊日本』のインタビュー。

そう言えば『ｍｙｂ』の終刊号は「日本の個性１９９２」の再録もあり、その中に私の「文部省と学校をどう開くか」も入っている。書き出しだけ引く。

「空気の悪いところにはコケが生え、ますます湿気が多くなって、腐食への道をたどる。タクシーに乗って東京は虎ノ門の交差点そばの文部省を通る時、私はいつもそう思う。

古色蒼然《そうぜん》たるという形容があるが、文部省は建物もさることながら、その中身が救いがたいまでにカチンカチンとなっている。つまり、中にすむ文部官僚の頭にはコケが生えているのである。いちばん厄介なのは、彼らがそれを自覚していないことで、私などは、もう『反面教師』の役割を期待するしかないな、とも思う」

（二〇一九年一月）

まつろはぬこころを杭に冬構へ

●木村勝美『さらば山口組』（メディアックス）

「後藤組・後藤忠政組長の半生」

一日は「芸人９条の会」の公演で世田谷の烏山区民会館ホールへ。中山千夏さんと対談。

●渡辺恒雄、若宮啓文『「靖国」と小泉首相』(朝日新聞社)
ナベツネ批判のネタを探して再読。
●武田泰淳『政治家の文章』(岩波新書)
浅見雅男さんが文藝春秋にいたころ、『経営者の文章』を書けと言われたのを思い出す。
●石川逸子『オサヒト覚え書き　追跡篇』(一葉社)
内田雅敏弁護士の推薦で著者に送ってもらい、『日刊ゲンダイ』の「オススメ本」に書く。

一〇日朝、半年余りぶりに「サンデーモーニング」に出演。
●辺見庸『純粋な幸福』(毎日新聞出版)
『北海道新聞』に次の書評を寄せる。

〈二〇一二年の高見順賞の受賞スピーチで辺見は、詩人は亡命者だと語っていた。亡命などまったく考えたこともない者どもが、いま、この国では唾棄《だき》すべき国家を振りかざして、亡命を考えることさえ許さぬ顔つきでのさばっている。

詩人である辺見の息苦しさは深まり、絶望感はさらに肥大してるだろう。しかし、辺見と私の共著のタイトルのように『絶望という抵抗』もある。そして、魯迅の指摘を待つまでもなく、この国に欠けているのは希望ではなく絶望なのだ。

『純粋な幸福』というシニカルな書名は絶望という土壇場のユーモアに読者を誘い込む辺見の底意

を示している。悪意と言ってもいい。だが、それが不思議な魅力を湛《たた》えているのである。

たとえば冒頭の詩の「おばあさん」の結語。「ぼくはぼくから引っ越そうとしているのです。おばあさん」。

あるいは「声」という詩の「声は無機物ではない。露骨なほどの有機物である」や「じぶんの声はどこにも届いていないのに、他人の声ばかり聞こえる。そんな時代に生きてはいないか」に私は身震いするほど共感する。また、Ⅳの「純粋な幸福」の「1　番《つが》う松林」では、地域から発給される「良民証」なるものが出てくる。

辺見や私にはまちがっても発給されず、発給されそうになったら、嫌悪して突き返すだろうシロモノである。

辺見はしばしば「体を張る」とか、ガチでぶつかるという。ガチンコ勝負の簡略語だろうが、辺見の言葉には肉体があり、また、辺見は肉声を欲する。

意外に韓流ドラマが好きな私は、しかし日本語に吹き替えになったビデオは見ない。声はかけがえのないものであり、その役者固有のものだからである。韓流に限らず、洋画でも字幕でしか見ないが、特にこの国は、いま、吹き替え文化を疑わない者たちが大手を振って歩いている。この本はそれに対する強烈な劇薬である。〉

●早野透、佐高信『寅さんの世間学入門』（ベストブック）

何度読んでも笑える。

一五日は寺島実郎さんと酒田へ。恒例の新田産業奨励賞の講演と対談。

翌日は酒田市の人権フォーラムで講演。演題が「ひとりひとりのいのち　ひとりひとりの人生」。高校の先輩の斎藤慎爾さんが「まつろはぬこころを杭に冬構へ」という句をつくっていることを知る。

●『平畑静塔対談俳句史』（永田書房）

よく、こういう本を買っていたな。

二三日は長井のフォークグループ「影法師」の結成四五周年記念イベント。

●下山進『2050年のメディア』（文藝春秋）

●大下英治『ふたりの怪物』（MdNコーポレーション）

「二階俊博と菅義偉」

本城雅人の『紙の城』の解説を次のように書く。

〈本城作品との出会いは『傍流の記者』（新潮社）が最初だった。主流よりは傍流、もしくは反主流に惹かれる私にとって、その題名が手に取る契機だったに違いない。二〇一八年六月のことである。

以来、病みつきになり、『ミッドナイト・ジャーナル』（講談社文庫）、『トリダシ』（文春文庫）、『紙の城』（講談社）、『スカウト・デイズ』（講談社文庫）、『監督の問題』（講談社）、『嗤うエース』（講談社文庫）と次々に読んでいった。

そして、同年一一月三日付の『朝日新聞』読書欄の「私の好きな文庫」に『ミッドナイト・ジャーナル』を挙げ、西秀治記者の質問に答えた。（以下略）

「私の好きな文庫」だから『ミッドナイト・ジャーナル』を推薦したが、『紙の城』はそれを「新聞社は生き残れるか」まで広げてドラマをつくった、優るとも劣らない作品である。

作品ではなく作者との出会いは、作品を読み始めて三ヵ月余りでやってきた。私は『俳句界』という雑誌で「佐高信の甘口でコンニチハ！」という対談を続けているのだが、その二〇一八年一二月号に登場してもらったのである。編集部がつけたタイトルは「傍流の道を行く」。

本城は『サンケイスポーツ』、略して『サンスポ』の記者だった。産経新聞の社員でありながら主流ではない。しかし、同社は『サンスポ』や『夕刊フジ』が利益を出して本体を支えていた。

二紙とも宅配ではなく駅売りで、毎日が勝負である。

私も『夕刊フジ』がデビューだったので、よくわかるのだが、一日一日、何かおもしろいネタを盛り込もうと必死だった。ヒリヒリした感じで連載を続けていた。

そう回顧すると、本城は、

「でも、あれが僕は好きでした。常に緊張感があって、会社に記事を持って帰ったときに、上の人たちが自分のもとにワーッと集まってきて」

と振り返った。

活字への愛着が作品の底を流れる『紙の城』について尋ねると、「紙が読まれなくなっていくのを見てきましたから」逆に惹かれると語り、こう続けた。

「スポーツ新聞にとって一番大きな影響は、オウム真理教の地下鉄サリン事件でゴミ箱が駅から無くなったことでした。スポーツ新聞って会社に持って行きにくいので、ゴミ箱に捨てることができないと売れないんです。夕刊紙はもっと大打撃でした。家族には見せられないですから、持って帰れない」

『紙の城』が思いがけない形で外濠から埋められたということだろう。

次に団塊の世代が一斉に退職する二〇〇七年にスポーツ紙は読まれなくなる、と言われた。しかし、それはスポーツ紙だけに限った問題ではない。

そのころ、産経の社内でも熱い会議が繰り返されたが、当時の社長、住田良能は、「論じる新聞にしたら八ページにしても充分売れる」と言ったという。

それを聞いて本城は『紙の城』でその部分を膨らませた。

私が本城に早く会いたいと思ったもう一つの理由が、この有能な記者が住田をどう見ていたかを聞きたいということだった。

住田と私は慶応の同窓で『毎日新聞』の岸井成格と五、六人の昼食会をやっていた。月に一回。二〇一三年に住田が亡くなってからも続いたが、二〇一八年に岸井も亡くなって自然に消滅した。

産経新聞社長のイメージとは違って、住田は異なる立場の人間と話すことを厭《いと》わなかった。大体、住田と私の間にホットラインがあったと知ったら驚く人が多いだろう。（中略）

私はいま、本城が住田をモデルにした小説を書いてくれないか、と思っている。たくらみというより希望である。

前掲の本城との対談の紹介を続けよう。

「情報は、必ず人間にまつわって来ているでしょう。結局は人間が相手なんだというおもしろさがある。それは、あなた自身が現場で苦労したから書けるわけだ」

と水を向けた私に対する本城の答がまた頷《うなず》けるものだった。

「僕は記者でしたが、実は書くことにはあまり興味がなくて、ネタを取るほうが好きだったんです」

それも、たとえば日本シリーズだったら、それに出られなかった監督のところに取材に行くというのだから渋い。

それで野村克也の家に行き、二人で日本シリーズを見ていると、野村はぼそぼそと悔しさがまじった本音を語ってくれたとか。

負けた監督のところに行く人はいないだろう。

しかし、本城によれば「負けた瞬間、完璧に見えた人間が衰えていく瞬間に、初めてその人の懐の深さが表れる。そこでいきがっている人はダメ」だという。

「負けた瞬間、自分のもとから人がさーっと引いていくのがわかると言うんですね。僕自身が、そこで引く人間と見られたくないという。ある種美学みたいなものもありました。本当は新しいものを常に捕まえるのが記者の仕事なんでしょうけど」

こうした記者生活を送ってきた本城の小説がおもしろくないはずがない。記者時代も本城は作家の眼を持ってその人間観を深めてきた。セリフに味があって読者を飽きさせないのは、本城の眼がありきたりでないからである。〉

二五日は高須基仁のお別れ会へ。高校で同期だったという『毎日新聞』会長の朝比奈豊さんと会う。

●梶山三郎『トヨトミの逆襲』(小学館)

トヨトミことトヨタの内幕小説第二弾は、やはり『日刊ゲンダイ』で取り上げる。

(二〇一九年一二月)

歩く日本国憲法、中村哲逝く

●『元参議院議員小川仁一　売上税反対で男を上げた』(ＩＢＣ岩手放送)

佐高信岩手塾に行ってもらってきた。ちょうど中曽根康弘が亡くなった時だが、元岩手県教組委員長の小川は売上税に反対して補欠選挙に勝ち、「中曽根さんのおかげです」というセリフを吐いた。当時の社会党委員長は土井たか子で、土井もまた「山が動いた」という名セリフを残すことになる。

日教組御三家は北海道、岩手、福岡とか。しかし、北海道は丸ごと民主党に移って牙を失ってしまった。

●竹垣悟『若頭の社会復帰と三つの山口組の行方』（徳間書店）
●山平重樹『最強武闘派と呼ばれた極道』（かや書房新書）
●古賀誠『憲法九条は世界遺産』（かもがわ出版）

中村哲さんの追悼文を頼まれたが、それが一二日付の『西日本新聞』に載る。見出しに大きく「歩く日本国憲法」。

〈希望とは、もともと希《まれ》なる望みだが、その具体的肖像を私は中村に見てきた。一歳下の彼の存在に私はどれだけ励まされたかわからない。会ったのはただ一度。『週刊金曜日』二〇〇二年五月一七日号掲載の対談でだったが、まったく構えない自然体の印象は強烈で、『反–憲法改正論』（角川新書）という拙著の護憲派列伝の一人に描かせてもらった。

「中村さんって、風貌とか中国の魯迅に似ているなあ」

会うなり、私がこう切り出すと、中村は、

「うわあ、それは光栄だな」と言い、魯迅も最初は医学志望だったから、そういう眼で見てくれるのではという期待はあるのだが、医者と思われることはないと笑った。たいていは「百姓」か、「土建屋のおっさん」と見られるらしい。

辺幅を飾らずというが、カッコをつけるといった感じは微塵《みじん》もない。『花と龍』の玉井金五郎の孫だから、侠客の血が流れているのだろう。その祖父が中村が幼稚園児のころまで生きていて、膝に抱かれて育った。

「かわいかったでしょうね、そのころの私は。今は憎たらしいでしょうけど」とも言って笑っていたが、いま、天国で祖父と孫はどんな会話をかわしているだろうか。

中村は国連もNGOも行かない山間辺境の無医地区に足を運んだ。

「皆がわっと行くところならば行かない。だれかが行くところは、だれかに任せておけばいい。それよりだれもが行きたがらないところ、だれもやりたがらないことをする。これが私たちの一貫した基本方針です」

中村は少しも力むことなく、静かにこう語った。二〇〇一年にテロ対策特別措置法が国会で審議されていた時、参考人として招かれた中村は、

「現地（アフガニスタン）の対日感情は非常にいいのに、自衛隊が派遣されると、これまで築いた信頼関係が崩れます」

と強調し、自衛隊派遣は有害無益で飢餓状態の解消こそが最大の課題だと訴えた。

この発言に議場は騒然となり、司会役の自民党の代議士は取り消しを要求したが、中村は動ずるところはなかった。覚悟の程が違うのである。

私は中村を〝歩く日本国憲法〟と言ってきたが、平和憲法の下でこそ、「どんな山奥に行っても、日本人であることは一つの安全保障だった」という中村の信念をくつがえすことはできない。何よりもそれは実践の厚みによって裏打ちされているからである。

私は、中村が撃たれたと知った時、日本国憲法が撃たれたのだ、と思った。現在の政権は憲法を改めるというより壊そうとしているが、中村が求めたように、胸を張って憲法を世界に広める努力をしていれば、中村は撃たれなかったと私は思う。中村の死は日本国憲法の無力を意味しない。中村はその存在と行動によって憲法の理念を体現していたからだ。〉

●水口美穂『ねてもさめてもとくし丸』（西日本出版社）

「移動スーパーここにあり」を再読。

一九日、安田純平夫妻と会食。

●前川喜平、三浦まり、福島みずほ『生きづらさに立ち向かう』（岩波書店）

「高校生まで女性差別を感じたという女の子たちと話すと、そのきっかけは痴漢の体験だったというケースがたいへん多いです」

三浦さんのこの発言にナルホドと頷く。男がそういう体験をすることはめったにないからである。

「しかも、親も周りの大人も、スカートが短かったからじゃないかと、本人のせいにする」

二一日は藤沢で湘南朝日カルチャーセンターの講義。

二三日は『俳句界』の対談を桂右團治さんと山の上ホテルで。
●尾島正洋『総会屋とバブル』(文春新書)
●柚月裕子『蟻の菜園』(角川文庫)
●井出一太郎『井出一太郎回顧録』(吉田書店)
早野透さんから借りて読む。
●高文謙著、上村幸治訳『周恩来秘録』上下(文藝春秋)
二五日、小室等、松元ヒロ、吉永みち子との忘年会を市ヶ谷の中国飯店で。

『かまくら春秋』に「夕陽派の友、吉永みち子」と題して次の一文を寄せる。

〈朝日より夕陽に味があることを教えてくれたのは友人のエッセイスト、吉永みち子である。彼女はこう書いた。

「朝日派と夕陽派があるとしたら、私は夕陽派である。夕陽をぼんやり眺めているのが好きだ。朝日はまぶしくて、ぼんやりなんか眺めていられない」

彼女とは講談社の担当編集者が同じで、いまは亡き彼が紹介してくれた。

その時、彼女は「カタギさんから見ればウラの世界とされていた頃の競馬に縋《すが》って生きてきたような人間は、きっとバッサリと切って捨てられるに違いないと身構えつつ、開き直って」会食の場所に出かけてきたらしい。

拙著『佐高信の男たちのうた』（七つ森書館）の解説で、彼女はその後を次のように続けている。

「しかし、会った瞬間に脅えも緊張もすっかり忘れた。うっかり忘れたのではなく、そんな構えを必要としない人だと察することができたから忘れられたのである。初めての人と出会った時、どんなやさしさで接してくれようとも、私は人の目の中に一瞬宿る憐れみや優越感や嫌悪感に、きわめて敏感に反応してしまうのである。けっして世間並みとはいえない家庭に生まれ、若い頃に博打場のようだった競馬場に出入りしたために、ずいぶんと白い目で見られた経験の後遺症かもしれない」

ところが、私に対して彼女のセンサーは微動だにしなかったという。

「構えが取れると自然になり、自然になると本音がさらけだせ、それでいて妙にウマが合った。辛口、硬派、生真面目、大胆不敵と世に言われているが、辛いばかりの人ではない。厳しいばかりの人でもない。清流だと窒息死してしまいかねない雑魚の私が、楽に呼吸できるほど濁りも待ち合わせているらしい。そんな気がしたのが第一印象だった」〉

以下略とするが、彼女と私の対談『男の魅力　女の引力』（労働旬報社）を出したのは一九九三年秋である。

「肩書なんか蹴っとばせ！」というオビに載っている二人の写真も若々しい。共に四〇代だから現在とは大分違っている。

「鋭くやさしい本音トーク」と編集者が名づけたその本の「あとがき」を私はこう書いた。

「吉永さんを私は講談社の林雄造さん（現、文芸第二出版部長）に紹介された。ウマが合うというのだろう。初対面からポンポン言い合った気がする。『気がつけば騎手の女房』（集英社文庫）はすでに読んでいたし、会いたいと思っていたひとだったので、林さんに引き合わされた時はうれしかった。

この対談の中にも出てくるが、私は学生時代、駒込にある寮（山形県庄内地方の出身者が入る荘内館）にいて、ときどき染井墓地をうろついた。散歩などという高尚なものではなく、彷徨したのである。それが一九六五年前後、吉永さんが近くにある東京外語大に入るのは少し後だから、同時にではないのだが、彼女もこの墓地をしばしば訪れたという。共通の〝染井墓地体験〟である。

二人とも別に〝死の影〟を求めていたわけではない。しかし、不思議に落ちつくものがあった。

こんなことを書くと前世の因縁めくが、吉永さんと会って話していて、私は一度として不快な思いをしたことがない。

彼女はけっして優しいだけのひとではなく、この対談でもわかるように、けっこう突っ込むひとなのだが、包み込むような雰囲気をもっている。これを機に、さらに深く長いおつきあいをお願いしたい。

この対談の言いだしっぺの私が『あとがき』を書くことになったが、最後に、この企画に即座に賛成して事を進めてくれた編集部の木内洋育さんと朝岡晶子さんに厚くお礼申し上げます」

吉永さんの「突っ込み」で忘れられないのは、藤沢周平が狼が好きで動物園に時々見に行くらしいと話した時である。

彼女は、檻《おり》に飼われている狼は狼じゃないんじゃないの、と言った。

返す言葉がなくて、私はそのまま唸ってしまった。

作家の小池真理子さんと対談した時、私が吉永さんと親しいことを知っていて、吉永さんに会いたい、と言われた。

小池さんのツレアイの藤田宜永さんの病気療養から死となって、それはまだ実現していないが、多分、たのしい話し合いになるだろう。

彼女は漫画家の石坂啓や政治家の辻元清美など女性からも好かれる。ほぼ初対面の彼女たちを紹介したら、直ちに〝姐さん〟と一目置かれていた。玄人はだしの彼女の歌う「花街の母」や「緋牡丹博徒」をしばらく聴いていない。

●佐高信『いま、なぜ魯迅か』（集英社新書）
一二月一二日号の『週刊新潮』に「著者の闘争継続宣言」という書評が載る。

（二〇二〇年一月）

悲劇が喜劇とならないために

●田中伸尚『一粒の麦死して』（岩波書店）

四日昼、田中さんと会食。「弁護士・森長英三郎の『大逆事件』」が副題のこの本の読後感を後で次のようにメールする。

「いつもながらの貴重な仕事ですね。『大逆事件』の遺族の小松はるさんの一生に涙し、大石誠之助の情欲とそれに着目した森長さんに共感しました。森長さんからの手紙をとっておいた澤地久枝さんに貴君の友人であることを誇りたい。また話しましょう」

●石原慎太郎、坂本忠雄『昔は面白かったな』（新潮新書）

三島由紀夫は三〇まで童貞だった！

こんな本も買って読んでしまう。しかし、こうした本が意外なネタになることもある。

●鎌田慧『叛逆老人は死なず』（岩波書店）

絶好の口直し。

八日、中国大使館の新年会へ。村山富市さんと私の『「村山談話」とは何か』（角川新書）を翻訳した陳応和さんの招き。彼はいま、中国大使館に勤めているのである。

●五木寛之『さかしまに』（文春文庫）

解説がユニークな俳人で編集者の斎藤慎爾さん。斎藤さんは酒田沖の飛島《とびしま》の出身で、私の高校の先輩でもある。

一〇日は『俳句界』の対談を中川五郎さんと。場所は元に戻って山の上ホテル。

●田中美津『この星は、私の星じゃない』（岩波書店）
●田中美津『明日は生きていないかもしれない……という自由』（インパクト出版会）
ウーマンリブのレジェンドの田中さんに出版記念会で話してくれと言われて、彼女の本を読む。スイスイ入ってきて抵抗感なし。
●小出裕章、佐高信『原発と日本人』（角川新書）
ふと読み返す。

一五日、『お帰り寅さん』を観に行って不覚にも泣く。一緒に行ったツレアイがそれを見て笑っている。シツレイなり。
●中川一徳『二重らせん』（講談社）
巻措く能わずの労作。

フジテレビとテレビ朝日の設立からの歴史に、旺文社の赤尾好夫とその息子の一夫と文夫が関わっていたのは知らなかった。

文化放送のディレクターだった長峰光雄がこう言っている。

「『赤尾問題』とは、文化放送とフジテレビ、テレビ朝日が手玉に取られ続けた事件だった。特に文化放送は違法な利益供与を繰り返した。フジテレビもテレビ朝日も、赤尾兄弟を甘やかしたのだと思う。上場といった目的があったにせよ、そうしたことが許されるのだろうか」

この中で描かれるフジのワンマン、日枝久の横暴は『ZAITEN』の「佐高信の新・毒言毒語」で批判する。

唯一、グループの中で日枝に抵抗した産経新聞社長、住田良能は亡くなってしまった。住田とは五、六人での昼食会をやっていたのだが……。

●大下英治『永田町知謀戦4』(さくら舎)

一八日夕、久しぶりに石川好と歓談。日比谷松本楼でライスカレーを食べる。

二一日はデモクラシータイムズの「3ジジ放談」。時事と爺《じじい》をかけた三人は平野貞夫、早野透、そして私。これはユーチューブで見られるらしい。

●片山夏子『ふくしま原発作業員日誌』(朝日新聞出版)

二四日、「むのたけじ地域・民衆ジャーナリズム賞」の発表記者会見。この作品で「東京新聞」記者の片山さんが大賞を受賞したのだが、この時点では本になっていなかった。

鎌田慧さんや轡《くつわ》田隆史さん、永田浩三さんらと審査員として並ぶ。場所は文京区民センターだった。手づくりで賞金も何もなし。

●佐高信『幹事長　二階俊博の暗闘』(河出書房新社)

例年の時評集の「はじめに」をこう書く。

〈はじめに――ペン先に殺意をこめて

亡くなった私の叔母がよく「ほげだげ悪い人いねもんだ」と言っていた。いわゆる標準語にすれば「そんなに悪人はいないんだよ」ということだが、私はいま決定的に違う認識を持っている。悪い奴は徹底して悪いのである。「桜を見る会」の疑惑にしても安倍晋三はウソにウソを塗り重ねているが、「そんなに悪い人はいない」と思っている人たちは、いつのまにか、そんな安倍の悪もわい少化してしまう。自分がそこまで悪くなれないために、想像を越えた悪についていけなくなって追及する根気をなくしてしまうのである。

先日、『マスコミ市民』の発行人に「この期に及んでも原発再稼働にこだわる安倍政権には理解に苦しみます」と言われ、こう答えた。

「それは、革新側の弱いところですよ。自分と等身大に相手を捉えてしまってはいけないのです。あの連中には良識がないし、常識の中に棲んでいないのです。『我が亡き後に洪水よ来たれ』で、今が良ければいいという話なんです。先のことなんか本当に考えていない。ところが、われわれは『ちょっと考えればおかしいんじゃないか』と思ってしまう」

〝あの連中〟には安倍や二階俊博だけでなく、関西電力の元会長の八木誠や元社長の岩根茂樹も含まれる。私は彼らも断罪した。

「普通に考えれば、関電の幹部たちのカネの受け渡しはおかしいと思うでしょ。しかし、あの連中はおかしいと思っていないんだ。おかしいと思っていたら、あんなものを受け取れるはずはないでしょ。そういう人間を相手にしているということなので、われわれの方が甘いのです」

彼らに対して私は必殺のペンを振り下ろす。『月刊日本』のインタビューでは、こう言った。

「『ペンは剣よりも強し』と言うが、それは権力者を倒すために敢えて剣ではなくペンを手にするということでしょう。しかし、いまの新聞記者の誰にそんな殺意があるか。新聞記事のどこにそんな切れ味があるか。新聞記者のペンはナマクラ刀、竹光になっていて、まったく権力者を斬ることができていない。それはペン先に殺意が宿っていないからなんだよ」

「桜を見る会」の疑惑で二階は「どこが悪いのか」と開き直ったが、身内だけを大勢招待するという不公平に気づかない鈍感さもさることながら、ホンネとはワイセツなものだという感覚がまったくないことが問題である。

ホンネという猥褻《わいせつ》物を隠しもせずに安倍や二階は平気で往来を歩く。安倍夫人の照恵も含めてだが、私は彼らを「猥褻物陳列罪」で逮捕したい。

デタラメでワガママなボンボンの安倍を操って身勝手な政治を続ける黒幕が官房長官の菅義偉と自民党幹事長の二階である。前回は菅に焦点を当てたが、今回は二階を筆刀両断する。〉

二五日が下北沢のインパクトホールで田中美津さんの出版記念会。

二九日、京都へ。市民派候補として市長選に立った福山和人さんの応援。れいわと共産党が推し、自民、公明、立憲、国民、社民は現職の門川大作氏を応援する。私にはとても理解し難い。

翌日付の『赤旗』に私の山科での街頭演説が次のように紹介される。

「私の出身は東北です。原発事故で福島の人たちは故郷を失った。原発に賛成する人たちは、京都の美しさも破壊すると思います。京都の伝統、くらしを守ることを本当に考えている人は、原発に反対すべきです。私たちはその視点から、福山さんをどうしても市長に押し上げなきゃならないと思います。

この選挙を私は『特権と人権のたたかい』だと思っています。福山さんは人権のためにずっとたたかってきた人です。安倍政権の主要閣僚は世襲議員です。親が国会議員だというだけで議員になるんじゃ、封建時代と一緒じゃないですか。京都の大企業の社長も世襲です。民主主義というのは世襲・特権を許さないところから始まっているんです。

それから『長い』というのもダメです。安倍総理を『四選』なんて声もあります。現職市長も四選目なんでしょ。長いとその周辺にボウフラが湧くんです。福山さんが勝てば、安倍政権には大打撃です。京都から日本の政治が変わります」

いま、千葉県知事となって醜態をさらしている森田健作を日本社会党は推したことがある。私は『週刊現代』一九九二年八月一日号の「今週の異議アリ」で次のように批判した。前半だけ引く。

〈一九九二年七月七日の日付で「日本社会党書記長」の山花貞夫から、参議院議員の田英夫と國弘正雄に宛てて次のような手紙が届いた。

「去る七月三日参議院選東京地方区候補に関しては私は、党の方針について次のようにお話しました。

一、田辺委員長あて推薦方申入れのあった内田雅敏氏について、党は推薦しない。党は推薦候補森田健作氏の当選を期して闘う方針である。

二、ご両氏とも、この党の方針に協力していただきたい」

そして、党推薦候補以外の候補を応援した場合は、その後、「日本社会党・護憲共同」の所属議員に加えることができないこともありうる、という脅しが続く。

(当時)社会党は衆議院議員の辞職届までまとめてPKOに反対した。参議院でも、徹底した牛歩戦術で、法案の成立に抵抗したのである。

ならば当然、シンボリックな東京地方区においては、PKOにはっきりと反対の候補を立てるべきだろう。

ところが、PKOを推進した民社党と組んで「連合」候補の森田を立てた。これでは、PKOに反対した社会党に一票を投じようとする人は救われない。森田は、リクルート事件でガケっぷちに立っていた中曽根康弘の応援に行ったこともあるし、自衛隊に入隊したいと申し出たこともある〉

以下は略とするが、いまから二八年前のこの事件は何を教えるのか。現在の森田に鑑みて、彼を推した過ちを忘れてはならないだろう。悲劇が喜劇とならないために。

絶対に形の崩れない男、城山三郎

（二〇二〇年二月）

一日、義理の娘の結婚式。バージン・ロードを歩いて心もとなく、娘に引っ張られて、何とか歩き終える。七五歳の新婦の父。緊張したためか、最後まで涙は出ず。

●高澤秀次『評伝　西部邁』（毎日新聞出版）

義理の息子が大学受験のころ、西部は彼を青年と呼んでかわいがってくれた。それで、ある時、私の部屋で『タレント文化人１００人斬り』（現代教養文庫）を手に取り、西部批判を読んで仰天したらしい。

その時、私はいなかったのだが、後でそれを知り、義理の息子もタイヘンだなと思った。彼がそれについて直接私に何か言ったことはない。

●村松友視『北の富士流』（文春文庫）

三日、『俳句界』の対談を北の富士さんと。私より年上なのに男の色気満載。多分、いまでも〝現役〟だろう。

●常井健一『無敗の男』（文藝春秋）

「中村喜四郎全告白」

確か、小選挙区制反対運動をどう盛り上げるかで、加藤紘一、中村喜四郎、落合恵子、私の四人で会食したことがある。

五日、亀有のうなぎ屋で桂右団治の会。この女性落語家の噺《はなし》を聞きに、小室等さんと出かける。

六日、田原総一朗、寺島実郎の両氏と会食。七日がプレスセンターで、むのたけじ賞の発表。

韓流の時代劇「朱蒙《チュモン》」を観終わる。続いて「風の国」へ。

●小堺昭三『密告』（ダイヤモンド社）

俳句弾圧事件を描いたこのドラマを再読。

●邦男ガールズ編『彼女たちの好きな鈴木邦男』（ハモニカブックス）

一二日、東中野ポレポレで、鈴木を描いたドキュメンタリー「愛国者に気をつけろ！」を観て、帰りにこの本を買ってきた。

●チョ・ナムジュ著、斎藤真理子訳『82年生まれ　キム・ジヨン』（筑摩書房）

遅まきながら読む。

一五日は朝日カルチャーセンターの名古屋で講義。泊まって翌日、大阪へ。関西生コンの労組に加えられているとんでもない弾圧に抗議するシンポジウムに出席。終わって海渡雄一、竹信三恵子さんらと、金時鐘さんに教えられた桃谷の焼肉店「百億」へ。

『サンデー毎日』二月二三日号に城山三郎論。書き出しだけ引く。

〈「絶対に形の崩れない男」と城山を評したのは伊藤肇だった。雑誌『財界』の編集長をやり、人物論に健筆を揮《ふる》った伊藤が私を城山に紹介してくれた。

城山に『「気骨」について』（新潮文庫）という対談集があるが、その骨っぽさに唸《うな》ったことがある。角川書店から刊行された『城山三郎　昭和の戦争文学』全六巻の月報用に対談した時、太宰治の話になり、

「僕は、やっぱり太宰という人は甘いと思った。本当に思い詰めれば、原口統三みたいに死ぬべきだ」

と言われて、太宰作品を耽読したことのある私は、

「純粋に生きられない人もいるでしょう」

と抵抗したのだが、城山は、

「それは、こちらには関係ない」

と、にべもなかった。

『二十歳のエチュード』の原口と対比されては、太宰もいささかかわいそうである。

三島由紀夫の小説『絹と明察』を「社会を描かぬ社会小説」と城山が批判したら、三島がこんな反応をしてきたという。

私との対話『人間を読む旅』（岩波書店）から、城山の発言を引く。

「ぼくはまちがったことを書いたつもりはなくてね。そうしたらすぐに石原（慎太郎）さんから電話

がかかってきて、（三島さんが）けしからんと怒っていると伝えろ、と言われたっていうんだね。怒っているると言われたってさ（笑）。そうしたら今度は奥野健男さんから電話がかかってきて、まったく同じことを言う（笑）。三島さんはぼくと直接関係もないから、自分でかけるのもいやだったんだろうね。だから自分の腹心みたいな二人に言って、お二人がそのまんま同じ台詞で伝えてきたんだね」

気負いもなく城山はこう言った。誰に対しても臆せずものを言う城山の面目躍如だろう。〉

●長堀祐造『魯迅とトロツキー』（平凡社）

『いま、なぜ魯迅か』（集英社新書）を書いた余韻で読む。

一八日は早野透宅で「デモクラシータイムズ」の三爺ならぬ3ジジ放談の収録。爺と時事をかけたジジ放談だが、メンバーは平野貞夫、早野に私である。

二二日、社民党の党大会で福島みずほが七年ぶりに党首に復帰した。二三日付の『朝日新聞』には、立憲民主党との合流について「地方議員約四五〇人、党員約一万人の地方組織には、合流への反対論が根強い。二二日の党大会でも『立憲との合流こそ党分裂につながる。（協議を）白紙撤回すべきだ』（新潟県連合）など、意見を述べた八府県すべてが反対もしくは慎重だった」と書いてある。

同日付の『日刊ゲンダイ』「ウソと詭弁《きべん》を終わらせろ」に次の原稿を。

〈責任転嫁が服を着ているような安倍晋三もいよいよ追いつめられている。特にANAインターコンチネンタルホテルに毅然《きぜん》たる対応を望みたいところだが、日本経営者団体連盟代表常任理事で首相の池田勇人のご意見番だった桜田武は一九六五年に池田が亡くなってまもなく開かれた日経連臨時総会で、池田を喪った悲しみからか、

「戦後二〇年、かかる政治家しか育てられなかったわれわれの不明を反省せねばならない」

と言い切った。財界が政治家を育てることがいいことだとは思わないが、こう断言する財界人も、かつてはいたのである。桜田は師と仰ぐ宮嶋清次郎とともども勲章を拒否した人として知られる。

政治家にすがって商売をしようとし、政権に対して直言する経営者など、まったくと言っていいほど見当たらない現代とはまさに隔世の感がある。

経済には経済の論理があり、政治には政治の論理がある。

経営の自己責任を説く桜田は、だから、一九七八年春に、新日本製鉄相談役（当時）の永野重雄が動いて、倒産寸前の佐世保重工を〝政治救済〟する話が持ち上がった時も、日経連設立三〇周年記念総会の席上、

「政府肝いりの仕事を私は排斥するものではありませんが、官民癒着は後進国政商のすることであります」

と痛烈に批判した。

政治の圧力に屈せず、役所とケンカしてまで宅急便を成功させたヤマト運輸の小倉昌男のような経営者もいる。数は少ないが確かに存在するのである。

ムチャクチャな言い分で経済もしくは経営の論理を崩そうとする安倍に対して、これでは商売はやっていけないと経営者は抵抗してほしい。何よりも顧客は一般の市民なのである。安倍の理不尽な要求より、彼らの喝采を浴びることを期待すべきだろう。〉

●牧久『暴君』（小学館）

革マルの松崎明の横暴ぶりを丹念に追う。編集者は『週刊現代』の元編集長、加藤晴之君。二五日、お笑い芸人のオオタスセリにネットテレビに出てもらう。

●服部正也『援助する国される国』（中央公論新社）

服部には『ルワンダ中央銀行総裁日記』（中公新書）という名著がある。二七日、椎名誠、渡辺一枝夫妻と「夏下冬上《かかとうじょう》」で会食。なかなかに粋な和食店なり。

（二〇二〇年三月）

『朝日新聞』よ、しっかりしろ！

●毎日新聞「桜を見る会」取材班『汚れた桜』（毎日新聞出版）

二日付の『日刊ゲンダイ』オススメ本ミシュランでこの本を推す。

それにしても『朝日新聞』がおかしい。俗に「読売ヨタモン、毎日マヤカシ、朝日ニセ紳士」とヤユされるが、『朝日』は紳士を捨ててしまったのか。個人にシャープな記者はいても、チームとしてリベラルの原理を失ったように見える。

●大下英治『悲しき歌姫』（イースト・プレス）

「藤圭子と宇多田ヒカルの宿痾《しゅくあ》」

吉永みち子さんが藤圭子について語っているのをテレビで見て、これを取り出す。

●佐高信『面々授受』（岩波現代文庫）

五木寛之さんが『日刊ゲンダイ』の「流されゆく日々」で、副題が「久野収先生と私」のこの本を三度も取り上げてくれている。それであらためて読み返した。五木さんの結びを引く。

「この本の中にパリに滞在したときの久野夫妻のほほえましいエピソードが出てくる。読み書きはできるが、早口のフランス語はなかなか久野さんにはききとりにくい。もっぱら夫人の耳にもたれかかって暮したというエピソードだ。

それを読んだときに、林達夫さんから聞いた失敗談を思い出した。林夫妻がローマの宿でスタンドの電球が切れているのを、どうしてもフロントに伝えられなかったというのだ。結局、奥さんの言葉でやっと用が足せたという。碩学《せきがく》といわれる知識人の、なんとなく人間性を感じさせる挿話である。

一冊の文庫を何度も堪能して読んだ一週間だった」

『人間と教育』という雑誌の三月発行号に長尺のインタビュー載る。聞き手は自由の森学園高校教頭の菅間正道さん。

およそ三〇年ぶりの対面だったが、彼は、

「佐高本の長い読者として僕は思うんです。佐高さんを激辛、辛口ととらえるかどうか、それでその人の立ち位置を確認できるんじゃないかって。佐高さんは誰でも彼でも痛言・痛罵を浴びせているわけではない。道行く人すべてにほえているわけでもない。つまり、激辛、辛口ととらえる人は、それなりにおかしなこと、ひどいことをしている人、あるいは権力の座にあぐらをかいてふんぞり返っている人なんだろうと」と切り出し、私が、

「そうなんですよ。私は自分のことを一度も辛口、激辛と思ったことがないからね。当人はいたって普通のことを言っているつもりなんですが（笑）」

と応じると、

「地上波テレビでは、佐高さんを見る機会がめっきり減ってしまいました。長くコメンテーターを務めておられる、ＴＢＳ『サンデーモーニング』もインターバルが長くなったりしています。でも一方、ネット番組で僕らは破顔一笑、大笑いしながらお話しされている佐高さんをいつでも気軽に見ることができます。『ジジ放談』『佐高信の隠し味』とかね。元朝日新聞記者の早野透さんとの『時事放談』ならぬ『ジジ放談』。あれ、タイトル最高です（笑）。名付け親は佐高さんですか？」

と尋ねるので、私は、

「ハハハ、違う、違う（笑）。だって俺まだジジイの自覚がないから（爆笑）」。

と答え、あわてた菅間さんが、

「ハハハ、すいません、大変失礼しました（爆笑）。あと、失礼ついでになるかもしれませんが、佐高講演も結構ネットに上がっていて、それも見るんですけど、今かけておられるメガネを外して、丸メガネにして、時折みられる後ろの髪の毛を寝癖でピョンと立てると、佐高さんの師である久野収さんそっくりなんです！」

と付け加えた。

それはけっこう言われるのだが、もちろん「碩学の度」は師に遠く及ばない。しかし、とてもありがたいインタビューだった。

彼のパートナーが、かつて労働旬報社（現旬報社）にいて、吉永さんと私の『男の魅力　女の引力』という共著や、私の『日本の会社と憲法』をつくってくれた朝岡晶子さんである。

●三上智恵『証言　沖縄スパイ戦史』（集英社新書）

三日、三上さんをユーチューブで見られる「佐高信の隠し味」で紹介するため、収録。終わって集英社の樋口尚也、西潟龍彦両君と会食。コロナ禍がしのびよっている中での収録だった。

●立花隆『知の旅は終わらない』（文春新書）

立花さんとは微妙にスレ違う。

●柚月裕子『あしたの君へ』（文春文庫）
柚月作品にハズレはない。三〇日付の『日刊ゲンダイ』で『検事の死命』（角川文庫）を推した。
●山本政弘『遠く、けわしくとも』（しらかば工房）
副題が「日本社会党と生きて」。まさに、いぶし銀の魅力を放つ人だった。
●宏洋『幸福の科学との訣別』（文藝春秋）
「私の父は大川隆法だった」

自民党より右の幸福の科学のデタラメさは放っておけない。なぜ、新聞は霊言シリーズの本の広告を載せるのか。


（二〇二〇年四月）

『池田大作と宮本顕治』執筆中

●樋田毅『最後の社主』（講談社）
『朝日新聞』と村山家の問題。

『サンデー毎日』の四月五日号に「五味川純平論」掲載。「佐高信の新・人物診断」シリーズである。「ドラッカーの『断絶の時代』がベストセラーになって、翻訳本を出したダイヤモンド社は〝断絶ビル〟を建てた。また、世紀のベストセラーとなった五味川純平の『人間の條件』の版元の三一書房が建てたビルは〝条件ビル〟と呼ばれた。いまは夢物語に聞こえる話である。

のちに五味川の大作『戦争と人間』の助手をつとめた澤地久枝によれば、五味川は『人間の條件』を書かなきゃ死ねないと思って書いたという」。

これが書き出しで一二枚。四ページのこのシリーズは藤沢周平に始まって、清水一行、城山三郎に続く第四弾。同誌に復活させてくれた編集長は隅元浩彦さんだった。残念ながら隅元さんは交代したが、後任の坂巻士朗さんが引き継いでくれた。四月一九日号に大分県の宗岡俊二さんから、ありがたい次の感想が！

「『サン毎に佐高さんが帰ってきた』。知ってすぐさま書店に走り、本誌を購入した。佐高さんが『政経外科』執筆のころは毎週購読が楽しみだった。五味川純平を取り上げた『新 人物診断』でも筆の切れ味は相変わらずで読後感も心地よい。久しぶりのサン毎、執筆陣も達者で、権力への批判も容赦ない。佐高シリーズが始まるのであれば、もう一度サン毎の読者に戻ろうとひそかな決意」

何よりの励ましである。

『社会新報』に連載しているコラムにも、一読者から、ありがたい感想が届いた。年金生活に入ってから、その人は『社会新報』だけをしっかり読んでいるという。私のコラムが一番好きというそれは次のように続く。

「わかりやすい文体はもちろん、内容が一つ一つグサッと来ます。世の中の見方、考え方を『それでいいのかい？』と気づかせてくれます。ぜひぜひ毎週の楽しみを続けてください」

●中野翠『あのころ、早稲田で』（文春文庫）

一二日、久方の「サンデーモーニング」。

安倍晋三が首相になったことが緊急事態と発言して、また、ネットをにぎわす。隣の青木理クンに「地上波でそんなこと言う人はいないですよ」めいたことを言われたが、彼にこそ言ってほしいものだ。

一四日は代々木の共産党本部へ行って、小池晃書記局長と「とことん共産党」というネット番組で話す。

●柚月裕子『凶犬の眼』（角川文庫）

おいしい！

一六日、『毎日新聞』へ行き、宇田川恵記者のインタビューを受ける。二四日付の夕刊に掲載され、かなりの反響を呼ぶ。「この国はどこへ　コロナの時代に」というシリーズで、大見出しは『信じる』より疑え」。肝《きも》は、

「『安倍首相だって、ちゃんと考えてくれているよ』『官僚は優秀なんだから対処してくれるはずだ』などと話す人は少なくない。でも、本当にそう信じ込んでいいのでしょうか」

「いい人」に特に多いが、悪を等身大に小さくしてしまう、そういう「いい人」は「どうでもいい

人」だと強調した。
●籠池泰典＋赤澤竜也『国策不捜査』（文藝春秋）
二七日付『日刊ゲンダイ』で紹介。
●矢崎泰久『タバコ天国』（径書房）
「もくもく交遊録」で、野坂昭如と小松左京の〝珍事件〟にエーッ。大阪の一夜である。野坂と藤本義一という直木賞作家を前にして、左京が、

「オレのような大作家が直木賞をもらえないのは不公平だ。オイ野坂、どうすれば取れるか教えろ！」

とほえた。多分、酔っていたのだろう。すると野坂はいきなりズボンを下げて、一物を左京の顔の前に突き出し、

「これをなめろ！　きっと受賞できるぞ」

と言ったが、その言葉が終わらないうちに左京は吸っていた煙草《たばこ》をいきなり、野坂の亀頭に押しつけた。

「ギャーッ」

と叫ぶ野坂。

見る見る亀頭は腫れ上がり、救急車で病院へ運ぶ始末となった。

「すまん」と左京もうなだれる。

矢崎は「それでも煙草を口から離さない。立派な奴」と書いている。

下半身を包帯でグルグル巻きにされて帰京した野坂は事のてんまつを妻に話したが、信じてもらえない。

「場所が場所だけに、誰が想像しても下世話になってしまう。だいたい普段から本人に信用がないのだから、どうしようもなかった」というのが矢崎の注釈。

とうとう、左京が急きょ上京して野坂を見舞い、説明したが、やはり野坂夫人には信じてもらえなかったという。

私は野坂という人にはあまり好感を持っていないが、電話で話しただけの左京には、ありがたい感じを持っている。

それは、批判的な司馬遼太郎論を書いた時、面識もないのに自宅に電話をよこして、

「よく書いたね」

と励ましてくれたからである。

それこそ、司馬は『産経』から『朝日』までが丁重に扱う作家で、一種のタブーとなっていたからである。

小田実などは「左京」でなく「右京」だなどと皮肉っていたが、後輩のものかきに電話して激励

するのは、そうできることではないだろう。

もう一つ、書きとめたのは五木ひろしのデビューの際のエピソード。これも野坂がからんでいる。「姫」のママで作詞家の山口洋子が青年を連れて現れると、野坂がいきなり、

「キミの名前は決めたよ。五木昭如、これでどうかな」

一瞬の沈黙の後に山口が笑い出し、

「これじゃ、五木先生と野坂先生をくっつけただけじゃない。いいんですか、とても有難いとは思うけど……でも歌手の芸名としては堅苦しいかしら……」

と、ためらう。

「そ、それじゃ、昭如は外しましょう。五木はそのままで、下をひら仮名でひろしとしたらどう？」

これで五木ひろしが誕生した。
●梅宮辰夫『不良役者』（双葉社）
コロナで引きこもりの日々、こうした本も読む。
●川井龍介『切ない歌がききたい』（旬報社）
私より大分若い元『毎日新聞』記者の「切ない歌」はポップス調のそれが多くて、私のセンチメントとはかなり異なる。
●グループS『小説聖教新聞』（サンケイ出版）

●山下文男『共・創会談記』（新日本出版社）

いま書いている『池田大作と宮本顕治――創価学会と共産党の協定の舞台裏』（平凡社新書）の資料として読む。「創共協定」を共産党は「共創協定」と書く。「早慶戦」を慶応側は「慶早戦」と表現するのと同じなのだろう。八月刊行予定である。

●大野敏明『産経新聞風雲録』（マガジンランド）

「敵を知り己れを知らば」ということで。

●宇都宮直子『三國連太郎、彷徨う魂へ』（文藝春秋）

期待はずれ。著者の私が出すぎている。

●加藤爽『句集白鳥』（角川書店）

加藤紘一夫人、愛子さんの句集。爽は俳号。

○繋がれてをること知らず鯉幟
○山桜見られぬことを誇りとし

「信じる」ことより「疑う」ことを

●西岡研介『マングローブ』（講談社）

（二〇二〇年五月）

革マルのドンの松崎明を徹底追及したこの本を、やはり西岡著の『トラジャ』(東洋経済新報社)の読後にあらためて読む。野村旗守『Z(革マル派)の研究』(月曜評論社)もぜひ読んでみたい。コロナ禍での逼塞《ひっそく》は続く。

●瀬戸内寂聴『孤高の人』(ちくま文庫)

宮本百合子と同棲《どうせい》していた湯浅芳子。宮本顕治研究には欠かせないこの本のことは、確か澤地久枝さんに教わった。

●大下英治『日本共産党の深層』(イースト新書)

松本善明といわさきちひろ夫妻のエピソードを拾う。宮本夫妻と同じく、妻の方が年上。松本といわさきは宮本夫妻を見習ったのだとか。

コロナで対談ができず、『俳句界』の「佐高信の甘口でコンニチハ!」は次のエッセイとなる。前半部分だけ引く。七月号掲載。

〈二〇一一年五月号のゲストは女優の有馬稲子だった。対談を終えた後、有馬はブログに次のように書いている。

《こわもての評論家の佐高信さんと対談しました。佐高さんといえば、政治経済の分野の鋭い分析で知られる日本の代表的な論客。その方がどうして私と対談を……。

実は『俳句界』という雑誌に「佐高信の甘口でコンニチハ!」というページを持っていらして、

その対談相手にぜひ私をとのご指名なのです。

でも、俳句の話など、どうすれば？

私はあわてて大好きな、去年亡くなられた俳人の川崎展宏さんの句集を取り出してにわか勉強しました。

とにかくこの人の俳句にはすばらしい作品が多いのです。

私が好きなのは……
○熱燗や討ち入りおりた者どうし
○赤い根のところ南無妙菠薐草《ほうれんそう》
○大和よりヨモツヒラサカスミレサク
三句目は、戦艦大和から送られた電文を作者が受けたと想像して作ったとされる名句です。

おっかなびっくりの佐高信さんとの初対面でしたが、とても優しくわかりやすいお話をなさる方で、嬉しいことに『浪花の恋の物語』から『人間の条件』の娼婦の役までほめて下さいました。

肝心の俳句の話も、私が川崎展宏さんの熱烈なファンとわかると大いに意気投合。無事対談を終えることができました。

『俳句界』の五月号、ご期待下さい》

有馬と文芸プロダクション「にんじんくらぶ」で一緒だった岸恵子はエッセイストとしても知ら

れているが、有馬の文章もとてもわかりやすく見事である。もちろん、これは私が過褒されたから、お返し的に書いているのではない。

ちなみに、岸恵子とは神奈川テレビなどで何度も対談した。是非このコーナーにも登場してもらいたいと思っているが、ある時の対談後記に彼女はこう書いてくれた。

《何年か前、佐高信さんにお逢いすると言ったら、「ア、怖い人ですよ」と二、三人の人が言った。「ア、凄くいい人ですよ」と一人の人が言った。どう怖いんだか、どういいんだかの説明はない。その方がいい。内容説明の曖昧な人物評なんか、どうせ私は信じないんだから……。

はじめてお逢いした佐高さんは、怖い人でもいい人でもなかった。もっと含みのある、初対面では解けない謎と、インテリには珍しい上等な恥じらいを隠している人だと思った。権力側のお墨付を絶対に疑ってかかる人。真っ直ぐな視線を相手の心の底におとす人。

お逢いするたびに、はじめの謎が少し解け、また新しい謎が生まれ、私は目を凝らす。グレイのシルエットの中にはじける笑いが清々しい……》

照れてうつむくしかないリップサービスだが、岸に「いい人」と言ったのは、多分、二〇〇八年五月号のゲスト、山田太一だろう。あるいは、二〇一〇年七月号の篠田正浩か。

有馬は俳句についての「にわか勉強」をしたということで恐縮するが、むしろ、このコーナーは俳句に詳しくない人を招きたいと思っている。鎖国を続けていた江戸時代に唯一世界に開いていた長崎の出島のようにと言ったら、ブーイングを浴びるだろうか。

しかし、俳句の裾野は広いのだなと驚いたのは、井上陽水や寺島実郎など、俳句とは無縁と思われる人を招いたら、陽水は父親が若水という俳号を持ち、寺島は祖父が羅雨という俳号を持つ俳人だったことである。

それにしても、「こわもて」と受け取られ、「おっかなびっくり」で対談会場の「山の上ホテル」に現れる人は少なくない。

大学同期でゼミまで一緒だった岸井成格は、サタカと親しいというだけで多くの友人を失ったなどと言っていた。誤解とか先入観は恐ろしいものである。

二〇一一年一二月号のゲスト、梶芽衣子から『真実』（文藝春秋）という本が送られてきたのは二〇一八年の春だった。御無沙汰を詫びる手紙付きである。

女っぽくないひとだなという印象だったが、長谷部安春という監督もそう思ったようで、梶が『野良猫ロック』でなぜ自分を使ったのかと尋ねたら、長谷部は、

「笑顔がまったくないから」

と答えたという。

「撮影所を歩いていても食堂にいても、いつも目が吊り上がっている。それだけでも選んだ」

と長谷部は続けたとか。〉

結びは、二〇一一年三月号に登場してもらった菅原文太の次のセリフである。

「日本はどうなるんだろうと、不安になるね。俳句なんか作ってる場合じゃないよ」
●諸永裕司『ふたつの嘘』（講談社）
●西山太吉『記者と国家』（岩波書店）
前者は西山夫人の啓子さんを追った貴重なドキュメント。

後者のあとがきに、西山さんが故人となった啓子さんへの謝辞を書いている。
●大下英治『野中広務権力闘争全史』（ＭｄＮ）
小泉純一郎が吉村昭の『敵討』を読んだと書かれている。
●林真理子『綴る女』（中央公論新社）
「評伝・宮尾登美子」

「一時期、宮尾は社会党に入党している」と。やはり高知出身の平野貞夫さんに読後、献呈する。

彼女は高知の男にフラれたから高知の男にキビシイのだとか。
●辻田真佐憲『古関裕而の昭和史』（文春新書）
古賀政男についての評伝『酒は涙か溜息か』（角川文庫）で書いたが、軍歌をたくさん作曲した古関を私は許すことができない。
●山崎豊子『運命の人』一、二、三、四（文春文庫）

西山太吉さんをモデルにした小説だが、後半、主人公が沖縄に行くところは違う。

沖縄の新川明さんから、一九日付の『琉球新報』に載った新崎盛英さん（六六歳）の「声」が届く。『反国家の兇区』の著者の新川さんは『沖縄タイムズ』の社長も経験した。私が㈱金曜日の社長をしたのと似た感じだが、もちろん、新川さんの方が何倍も大変だっただろう。新川さんとの縁をあらためて結んでくれたのは、『週刊金曜日』から転じて、いまは『週刊東洋経済』の記者をやっている野中大樹君だった。うるま市在住の新崎さんの「沖縄の緊急事態とは」を引く。

〈新型コロナウイルスの感染拡大の影響で、憲法普及協議会から「2020憲法講演会中止のお知らせ」が届いた。

毎回時宜にかなった、多士済々の講師の話が魅力で、二〇代半ばの頃からほとんど毎年足を運んだ。わけても憲法の専門家ではない、在日で人材育成コンサルタントの辛淑玉さんと、アーサー・ビナードさんの目から見た話は異彩を放ち、斬新で目からうろこものだった。

最も痛快だったのは、評論家の佐高信さんだった。司会者から「辛口、激辛」と紹介された佐高さんは「私はカレーではありません」と軽くいなしながら、一切忖度《そんたく》のない、歯に衣を着せない言葉で、憲法を蔑ろにする、この国の政権をばっさりと切り捨てた。

先月、安倍晋三首相がやっと緊急事態宣言を発出した直後、テレビの報道番組で佐高さんは「この人が総理大臣であることこそが緊急事態です」と痛言した。

沖縄では、この人が再び首相に就任した二〇一二年一二月からずっと緊急事態が続いている。これは「県難」である〉

●梁石日『魂の痕』（河出書房新社）

『日刊ゲンダイ』のオススメ本へ。

●森ゆうこ『検察の罠』（日本文芸社）

平野貞夫さんより借りて来た。黒川弘務東京高検検事長との一問一答がある。

朝日カルチャーセンターが動き出し、千葉教室へ次の講義説明を寄せる。

〈日本人を深く蝕んでいるのは「軽信」だと私は思っている。軽く信じて裏切られると「だまされた」と騒ぐ。しかし、だまされるほど簡単に信じてしまった自分に責任はないのか。

『戦争と人間』（三一書房）という大河小説を書いた五味川純平は、作中で、親のいない二人だけの標《しめぎ》兄弟の兄の方が兵隊にとられて出征する前、まだ幼い弟に忠告として次のように言わせている。

「信じるなよ、男でも、女でも、思想でも。ほんとうによくわかるまで。わかりがおそいってことは恥じゃない。後悔しないためのたった一つの方法だ。威勢のいいことを云うやつがいたら、そいつが何をするか、よく見るんだ。お前の上に立つやつがいたら、そいつがどんな飯の食い方をするか、他の人にはどんなものの言い方をするか、ことばやすることに、裏表がありゃしないか、よく見分けるんだ。自分の納得できないことは、絶対にするな。どんな真理や理想も、手がけるやつが糞みたいなやつなら、真理も思想も糞になる」モリカケ、桜、そして河井夫妻と現実の事件に即しながら、日本人の軽信症を糾弾したい。「信じる」より徹底的に「疑う」が大事なのだ〉

（二〇二〇年六月）

成田三樹夫を語りたかった

●石井妙子『女帝　小池百合子』（文藝春秋）

著者より贈らる。したたかな小池にひるむことなく挑んでいる。売れているらしい。

三日、『朝鮮新報』李永徳記者の取材を受ける。二四日付掲載のそれは「違いから出発しないと」という見出しで、こんな内容。

〈「純血種」を持ち上げ、ヘイトスピーチを叫ぶ人々は、ある意味「玉ねぎ」と一緒である。皮をむいていくと、最後には何も残らない。つまり彼らは、生活や社会における拠り所がなく、自らを支えるつっかえ棒を持っていない。その弱さから寄りかかる「何か」を求め、社会的弱者の在日コリアンらを攻撃の的にする。「純血種」だって、血筋を何代も前に遡れば気づくことだろう。人間はみな「混血」なんだ〉

〈安倍晋三や麻生太郎をはじめ血統にしがみつく為政者たちには、違いを認めるたくましさが著しく欠如している。だから日本政府は、国民の税金を「違い」が目立つところ、朝鮮学校には支給しないと言い出す。小池百合子のような差別主義者も同じだ。関東大震災時の朝鮮人犠牲者の追悼式に、都知事名の追悼文を送ろうともしない。

日本には、学生時代に模範解答しか答えず、社会に出てもマニュアル通りに働いてきた、そんな官僚ばかりだ。だから、新型コロナウイルスの感染が拡大している昨今の緊急事態にも、全く対応できていない。日本の政治家のひ弱さや無能さ、日本社会の病根が日に日に露呈されている〉

●岸恵子、吉永小百合『歩いていく二人』（世界文化社）

九日、デモクラシータイムズの「佐高信の隠し味」収録。ゲストの朴慶南さんと神楽坂の毘沙門天「善國寺」で待ち合わせたが、門柱に「昭和四六年五月一二日児玉誉士夫建之」とある。

●石井妙子『囲碁の力』（洋泉社新書）

『女帝　小池百合子』の著者は囲碁の観戦記者からスタートした。

福沢諭吉が助けた金玉均は囲碁の世界で有名だったと知る。

●平林たい子『林芙美子　宮本百合子』（講談社文芸文庫）

前に買っていたこの本が『池田大作と宮本顕治』を書くのに役立つ。宮本夫人の百合子の文学的位置取りが分かるからである。

●城山三郎『新装版　大義の末』（角川文庫）

「城山文学の原点であり、最重要の小説」であるこの作品の新版を出すにあたって、解説を頼まれ、城山が新婚時代に夫人から、

「あらっ、また、柿見さんとつきあってる」

と言われながら、主人公が柿見のこれを書いていたことなどを紹介しながら、『指揮官たちの特攻』（新潮文庫）と、『大義の末』を対比させた。愛国心のゆがみを衝いたその部分を引こう。

〈『大義の末』が出たのは一九五九（昭和三四）年だが、それから四〇年余り経って城山は二〇〇一（平成一三）年に『指揮官たちの特攻』（新潮社）を出した。

「これが私の最後の作品となっても悔いはない」と宣言しているこの作品は『大義の末』の続篇と見ることができる。

これを城山はうなされながら書いたという。神風特別攻撃隊の第一号に選ばれ、レイテ沖に散った海軍大尉、関行男は、それを命じられて「ぜひ、私にやらせてください」と言ったように伝えられているが、実は、「一晩考えさせてください」と応えたのだった。

そして、自分よりさらに若い搭乗員を気遣いながら、こう呟いたという。

「どうして自分が選ばれたのか、よくわからない」

亡くなって「軍神」と称えられ、関の母親も「軍神の母」と当時は賞讃されたが、戦後は悲惨だった。敗戦によって、特攻隊員やその遺族を見る目が一変し、住んでいる家に投石された挙句に、大

家から「即刻立ち退き」を迫られることになった。

この『指揮官たちの特攻』を城山はどんな思いで書いたのか。作中に、父親と二人で自転車のペダルを踏む城山自身の姿がある。いや、城山家の姿である。城山はペンネームだから、杉浦家の姿と言った方がいいかもしれない。

「せっかく理科系への進学が決まり、徴兵猶予ということで、これでもう安心と思っていたのに、息子が自分からそれを取り消して、七つボタンの海軍へ志願入隊するとは。

父は足もとが二つに裂け、声も出ない思いでいたのかも知れない。

一方、後になって妹から聞いたのだが、私を送り出した母は母で、その夜は一晩中泣き続け、一睡もしなかった、という。

こらえていた悲しみが噴き上げたのだが、それだけでなく、『なぜ息子の言い分に負けて志願を許したのか』と、父にきびしく叱責《しっせき》されたせいもあったのであろう。

あのクリスマスの夜から半年後、私のせいで、一転して家には暗い夜が続いて行くことに」

敗戦の前の年のその夜、父親を軍隊にとられた城山家では、母親に誘われて、一七歳の城山以下、弟妹たちが「聖し此夜」などの讃美歌を歌っていたのである。

「せっかく理科系への」には注釈が必要だろう。戦争を遂行するためには科学技術の振興が必要だとして、理科系の学校へ進んだ者は徴兵が猶予された。それで父親は、長男でもある城山にそちらを選択させたのだが、杉本の『大義』に煽られて、城山はそれをやめ、〝志願〟して海軍に入ってしまう。

城山はある座談会で「作家になろうと思ったのは、われわれの世代は戦争でひどい目にあってきた。軍隊という組織悪の標本みたいなものを身にしみて体験してきたから、そういうものを書きとめ、書くことによって復讐したいという気がある」と語っている。〉

●山川静夫『私の「紅白歌合戦」物語』（文春文庫）

●山口洋子『生きていてよかった』（文化創作出版）

「姫」のママで作家だった山口さんのことは時折り思い出す。男前な女だった。背伸びする男はもてないらしい。

●西岡研介『トラジャ』（東洋経済新報社）

二二日付の『日刊ゲンダイ』オススメ本にこの本のことを書く。

●井上一夫『伝える人、永六輔』（集英社）

永さんの魅力がもう一つ伝わってこない。

●西野辰吉『首領』（ダイヤモンド社）

「ドキュメント徳田球一」。本棚を眺めていたら、こんな本も求めていた。

●松下裕『評伝　中野重治』（筑摩書房）

『池田大作と宮本顕治』を書かなかったら、この評伝を手に取らなかったかもしれない。

●田原総一朗『戦後日本政治の総括』（岩波書店）

そう言えば、宮澤喜一に何度か会ったなあ。

『湛山除名』（岩波現代文庫）という石橋湛山伝を書いて、湛山ファンの宮澤さんにごちそうになったこともあった。

●久世光彦『「あの人」のこと』（河出書房新社）

「私は、ひそかに不遜な男である」という自己規定がいい。

『週刊現代』六月二七日号の「熱討スタジアム」が「味のある男　成田三樹夫を語ろう」。

千葉真一、鹿島茂、高平哲郎の三人が登場しているが、同郷で、小中高の後輩である私もぜひ加わりたかった。母親も知っているし、弟とは高校で卓球のダブルスを組んだ。

「端正なルックスや鋭い眼光、何より特徴のある彼の声は今も忘れられません」

と千葉が言えば、鹿島はこう続ける。

「彼が現れただけで、画面の空気が張り詰める。こいつは只者じゃないと、映画ファンの間で話題になったものです」

私より一〇歳上の成田は三〇年前に亡くなった

『佐高信の徹底抗戦』を刊行

（二〇二〇年七月）

●佐藤哲朗『スパイ関三次郎事件』（河出書房新社）

一日、語り部の平野啓子さんとの『俳句界』の対談。彼女とは二八年ぶりの再会。当時、彼女は三〇代になったばかりで、私の本のインタビューに来た。徳川夢声に弟子入りしたかったというのだから、なかなかに渋い。

●田中伸尚、佐高信『蟻食いを噛み殺したまま死んだ蟻』（七つ森書館）

鶴彬の川柳をそのまま題名にした畏友との対談をふと読み返す。

●山田邦紀『今ひとたびの高見順』（現代書館）

私が高見順を書きたいと言ったことを覚えていた版元が送ってくれた。なかなかの力作。

●保阪正康『近現代史からの警告』（講談社現代新書）

●保阪正康、鈴木邦男『昭和維新史との対話』（現代書館）

保阪史観に多大の疑問ありで、『創』に保阪批判を書く。「タレント文化人筆刀両断」の欄である。

●中島義勝『編集者余滴』

私家版か。岩波書店に入って、竹内好らと関わった著者の回顧録。「星野芳郎氏を悼む」などもなつかしい。

●佐高信『原田正純の道』（毎日新聞社）
マサズミさんと呼んでいた奥さんは元気かな？

『日刊ゲンダイ』オススメ本に石井妙子著『女帝　小池百合子』（文藝春秋）を。

一四日はデモクラシータイムズの「佐高信の隠し味」で、吉永みち子さんと語る。藤圭子を含む演歌論。

一六日、『俳句界』の対談を古賀茂明さんと。
●石井一『つくられた最長政権』（産経新聞出版）
●望月衣塑子、佐高信『なぜ日本のジャーナリズムは崩壊したのか』（講談社＋α新書）
出足好調！
●坂口孝則『ドン・キホーテだけが、なぜ強いのか？』（ＰＨＰ研究所）
中内功は「スーパーマーケット　ストリップ劇場論」を展開したらしい。

『日刊ゲンダイ』のネットニュース「日本の会社」で、殿様商法の百貨店を放逐したドン・キホーテをほめたら、そのブラック企業性に着目していないという批判の声が届いた。
●木村勝美『満期出獄』（かや書房）
「ヒットマン　中保喜代春」

山口組若頭の宅見勝の襲撃も、けっこう出たとこ勝負だった。

●土井たか子、吉武輝子『やるっきゃない！』（バド・ウィメンズ・オフィス）
「吉武輝子が聞く土井たか子の人生」

『社会新報』の「佐高信の視点」のネタになる。
●竹石松次『誇りたかき新潟の52人』（新潟日報事業社）
「忘れ得ぬ越後人」を書くことになったらと思い、ブックオフで求める。

（二〇二〇年八月）

進行する「清規」の「陋規」化

●菅間正道『向かい風が吹いても』（子どもの未来社）
聞き手が菅間正道さんで『人間と教育』に連載されたもの。

松元ヒロに始まって、落合恵子、辛淑玉、安田菜津紀が登場する。小熊英二と高橋源一郎はとばして読む。
●佐高信『池田大作と宮本顕治』（平凡社新書）
創価学会と共産党の「創共協定」の舞台裏をさぐったこの本は、新聞批判をやったこともあってか、ほとんど書評は出ず。

それだけに九月三〇日付『社会新報』の館野公一さんの書評はうれしかった。後半部分を引かせてもらう。

〈本書の白眉は第六章の「『創共協定』の経緯とその後」だ。協定発表の前年、七四年秋から松本清張が仲立ちをして繰り返された予備会談での関係者の発言や行動が膨大な記録からつぶさに描写され、まるでドキュメンタリーの映像を見ているかのような臨場感がある。なお、本書のところどころに新首相・菅義偉の名前が出る。菅は、九六年の総選挙で池田大作を口を極めてののしり、創価学会を批判して初当選したというが、二〇〇〇年の総選挙ではなんと創価学会に選挙協力を申し出た。今や自民党の中でも学会と最も太いパイプを持つという変節漢が伺える〉。
●高杉良『めぐみ園の夏』(新潮文庫)
四日、「デモクラシータイムズ」で望月衣塑子さんと対談。ネット番組の視聴者にサービスしようとして、二〇代からの友人、岸井成格の秘話をバラしすぎたかもしれない。

八日は下北沢へ。新宿梁山泊の公演へのゲスト出演。金淳次、中山ラビさんらと会う。
●南彰『政治部不信』(朝日新書)
●五十嵐仁、木下真志、法政大学大原社会問題研究所『日本社会党・総評の軌跡と内実』(旬報社)
新聞労連委員長をやった『朝日』の政治部記者の身内批判。けっこう、こうした批判はむずかしいのである。率直さで、その隘路《あいろ》を突破している。

この貴重な本を、旬報社社長の木内洋育さんからもらい、伊藤茂、上野建一、前田哲男のところなどを読む。伊藤さんも上野さんも私と同郷。伊藤さんとは一時、新庄のお寺まで一緒だった。

●村上義雄『人間　久野収』（平凡社新書）

再読。

●古川利明『「自民党〝公明派〟」20年目の大失敗』（第三書館）

『日刊ゲンダイ』のオススメ本へ。

一六日、久方のＴＢＳ「サンデーモーニング」。

●清武英利『サラリーマン球団社長』（文藝春秋）

書評を頼まれて読む。『週刊現代』九月二六日号掲載。読売のドンのナベツネに反逆した清武さんとは『メディアの破壊者読売新聞』（七つ森書館）という共著を出した。

〈黒田博樹という男がいた。年俸が五分の一になるのにメジャーから広島東洋カープに復帰し、二〇一六年のリーグ制覇に貢献した投手である。

その黒田に、「僕は〝この人〟の一言で復帰を決断した」と言わせたのが、球団本部長ながら実質社長の鈴木清明。資本金を一般公募してスタートした「市民球団」の広島には、本当にカネがなかった。

一九九九年に、のちに監督になる緒方孝市が、巨人の誘いを断って残留した時、球団は一億七〇〇〇万円を提示した。

すると緒方は心配して、

「こんなにカープが払えるんですか」

と鈴木に聞いたという。

一方、阪神タイガースは「試合に負け続けても球団は儲かっている」不思議な球団だった。そこには「東のナベツネ、西のクマ」といって、巨人の渡辺恒雄と並び称えられるワンマンの久万俊二郎というオーナーがいた。

この二つの球団の改革に身を削った男の物語を、巨人の球団団表として、ナベツネに抵抗し、改革しようとして追放された著者が描いた。

ダメな阪神、つまりダメ虎に最初に活を入れたのは監督となった野村克也だが、それを受け継いで星野仙一が優勝という花を咲かせた。星野は「死ぬ気でやる」と言って乗り込んできたのだが、それは文字通りのもので、高血圧症で何度も倒れた。

鈴木と同じように、子会社の阪神タイガースに出向となって、そこで改革しようとした野崎勝義は、星野から、

「リードして、この試合は落とせん、と思うと、血圧が上がるんです」

と打ち明けられている。

こうした場面には、思わず胸がつまった。この本を読んでいると、しばしば目頭が熱くなる。

「マエケンが抜けても、優勝できますよ」

前田健太がメジャーに行った時、黒田は鈴木にこう言ったが、その言葉通り、カープは二〇一六年から三連覇する。

私はこの本を、熱狂的なカープファンだった筑紫哲也に読ませたかった。筑紫は二〇〇八年に亡くなったが、必ずや泣いて読んだだろう〉

●早川真『ドキュメント武漢』（平凡社新書）

二一日、関西生コンへの弾圧は不当として提起した国家賠償請求訴訟の第一回口頭弁論が開かれ、「支援する会」の共同代表として記者会見に参加。

ニュースに「裁判所は清規の砦《とりで》に還れ」と題する次のような一文を寄せた。

「法律や規則には『清規』と『陋規《ろうき》』がある。陋規とはダークサイドのルールで、たとえばコネ入社は何名までといった内輪の非合法なものである。これはもちろん表向きの清規には違反するが、根絶できない。

しかし、安倍政権になって、清規が陋規に浸蝕されるようになってきた。清規の陋規化である。その象徴が官邸の言うことを聞く黒川弘務を検事総長にしようとしたことだろう。林真琴はまだ、清規は清規として必要と考える人だったので敬遠された。

清規の陋規化は関西生コン労組弾圧で極限に達した。六〇〇日も収監して逃亡の恐れも証拠隠滅の恐れもない委員長らに不当な保釈条件をつける。清規の砦であるべき裁判所が陋規の巣窟となってしまっているということである。安倍政権の番犬となって清規を陋規化させずに、裁判所は清規の砦に還れ、と私たちは訴える」

●早野透、佐高信『国権と民権』（集英社新書）

●辛淑玉、佐高信『ケンカの作法』（角川ＯＮＥテーマ21）

共に、ふと読み返す。福島みずほ事務所を通じて頼まれた次の一文を寄せる。題して

「死刑と国家への違和感」

〈自分は死刑になるような悪いことはしないから、死刑に賛成するという人もいるだろう。あるいは、そうした人が多いから死刑はなくならないのかもしれない。

しかし、死刑は本当に自分と無縁なのか？

一九一〇年に大逆事件がでっちあげられ、天皇暗殺を企てたとして、幸徳秋水らが死刑になった。いまでは明らかになったが、これは時の国家によって仕組まれたものだった。この事件を知って以来、私は幸徳の側に自分を置くようになった。もちろん、そんな〝大物〟ではないが、幸徳と一緒に国家によって殺された人の中には、自分がそんな事件に巻き込まれて死刑になるとは夢にも思わなかった人が少なくない。

それは明治時代のことではないかと言う人がいたら、では、オウム真理教の事件に関連して、長

野県の松本に住む河野義行が犯人扱いされた一件はどうか、と問い返したい。

警察もメディアも完全に河野を犯人と決めつけて追いつめていった。河野でなかったら、犯人とされ、あるいは死刑判決も下されていたかもしれない。死刑を、もしかしたら、自分にも降りかかるものとして考えられるかどうか。そこで、まず、賛否が分かれるだろう。

死刑は国家による殺人だが、次に、国家という存在が信じられるかという話になる。

安倍晋三や麻生太郎が唱える国家が信じられないものであることはハッキリしている。戦前、戦中のファシズム国家が信ずるに価しないことも明確である。では、それ以外の国家は信じられるか。私は、信じられる国家などないと思う。だから、国家による殺人にイエスと言えないのである。

EU（ヨーロッパ連合）には死刑制度をなくしていない国は入れない。だから、もし日本がヨーロッパに位置していても入れないのだが、やはり国家というものを全面的に信頼していないのだろう。〉

『日刊ゲンダイ』デジタルに「この会社」を連載しているが、富士フィルムをこう書いた。中盤から引く。

「この会社には忘れられない専務刺殺事件の傷がある。一九九四年に専務の鈴木順太郎が闇の勢力に殺されたのである。当時の社長、大西実は一五年以上もその職にあり、長過ぎることは明らかだった。その批判を封ずるために、押しかける総会屋へ渡すカネもふえていった。それらを鈴木は勇気を持って切った。

そのため、最初、大西がねらわれたが、担当者として鈴木が犠牲になった。完全に身代わりである。東大経済学部を出た鈴木は『毎日新聞』の就職試験で支持政党を問われ、「社会党左派」と答えて落とされたような人だった。見合いで結婚した時、妻の通子は、あくせく出世しないでほしいという条件をつけている。講談社が出していた『Ｖｉｅｗｓ』という雑誌の一九九五年一月号に「富士フィルム専務が遺した家族への感動書簡一五七通」が載っている。妻はこう語る。

「会社人間は、組織の立場でものを考えます。たとえそれが悪いことであっても、会社のためと言いわけをしてやりますでしょ。そして自分は悪くないんだと保身をはかる。ずるいと思います。しかし、主人は自分の信念で総会屋を切った。そのために殺されたのなら仕方がない。卑怯《ひきょう》なことをしても、出世を選ぶ人でなくてよかった」。

そしていま、古森重隆がワンマンとなっている。

（二〇二〇年九月）

おーい、中川六平よう

●沢部仁美『百合子、ダスヴィダーニヤ』（文藝春秋）

下北沢の古書店で求めた「湯浅芳子の青春」。二五〇〇円也。『池田大作と宮本顕治』（平凡社新書）を書き終えた後も、宮本百合子と湯浅芳子の熱愛が気にかかり、こうした本を買って読んでしまった。資料的には書く前に読んでおけばよかったと思うものではなかった。

●三田完『当マイクロフォン』（角川文庫）

何度目になるか、また手に取って味読する。中西龍という破天荒のアナウンサーが何とＮＨＫにいた。

今回は中西がインタビューした富山の浄土真宗本願寺派の僧侶の話にうたれた。

堀晃信というこの坊さんは中西が聞き入るような話をした後、一転して迷いの口調で

「中西さん、極楽浄土なんて本当にあるんですかの？」

と聞き返したという。そして、それから三日後に亡くなった。

古稀を迎えたばかりで急死するような年齢ではなかった。

堀はインタビューの中で「人間は他人に見せてはいけない五つの顔がある」と言った。

「飯を食う顔、金勘定をする顔、嫉妬をする顔、便所で用を足している顔、そして、媾合《まぐわ》うときの顔、以上五つですちゃ」

中西が「なるほど」とうなずくと、堀は、

「ところがの、ひとは相手と仲良くなりたいとき、食事に誘う。つまり、自分の醜い姿を見せ合いましょう――ということですちゃ。おたがい飯を食らう顔を見せ合って、つぎには一緒に金勘定したり、媾合ったりする。のう、中西さん、考えてみれば哀しいことですの、醜い顔を見せ合わんと

人間が仲良くなれんとは」

坊主の説教など聞きたくはないが、極楽浄土なんて本当にあるのかと問い返す堀の説話はなぜかスンナリと入ってくる。かなりひねている中西をも揺り動かしたのである。

中西の名になじみはなくとも、『鬼平犯科帳』のナレーションといったら、合点する人も多いだろう。

●中川六平遺稿追悼集『おーい六さん』

山口文憲さんに会って、この遺稿追悼集のことを知り、求めた。私にとっては年下ながら恩人的編集者である。二〇〇三年に『佐高流経済学入門――私の出発点』（晶文社）をつくってもらった。「あとがき」に私はこう書いている。

〈わが師、久野収は、ほぼ同年輩の植草甚一さんが好きだった。思想がスタイルになったようなその生き方に憧れ気味だったのである。植草ブームをつくりだした晶文社からは、わが師の本を含めてスタイルのある本が多く出ているが、私の本がそこにフィットするかどうか、自信はない。

ただ、古いつきあいの中川六平さんから話があって、私は『佐高信の出発点』ともいうべき本を編むことにした。

ちょっと昔話めくが、ここに、彼との因縁を書いた『佐高信の斬人斬書』（島津書房）の「あとがき」がある。一九八四年夏に書いたものだが、これを読むと、中川六平（本名、文男）さんと私は、一九八二年に私がフリーになってまもなく、知り合ったことになる。

《これは一昨年の夏から『東京タイムズ』に連載した「サラリーマン読書学」をまとめたものである。この連載をすすめてくれたのは同紙報道部の中川文男さんだった。いささかの屈折を含みながらも、つねに前向きに生のエネルギーを発散させる中川さんに励まされながら、私は自分の思いのたけを毎週一回原稿用紙に叩きつけた。だから、ここには露骨すぎるほどに私という人間が出ているはずである。そのために、さまざまに物議をかもしたが、その場合も、中川さんが身体を張ってバックアップしてくれた。中川さんと東京タイムズのスタッフたちの熱い支援がなければ、とても一冊の本になるほどには続かなかっただろう。》

「以下略」とするが、友人たちが「激しすぎてハラハラする」といったこの連載は、いわば「アブナイ連載」だった。この本はそれを凝縮した「危険な書」とも言える。

巻頭の「課外授業」は、天下の〝公器〟のNHKを使って、小学生にニセ札をつくらせたものであり、お札を、そして、それを発行している日本という国をそんなに信じていいのかと問いかけたアブナイ授業だった。

しかし、この時、感心したのは、ぶっつけ本番で受け取った「ニセ札」がすばらしいものだったことである。

ニセモノとホンモノはそんなにキッパリと分けられているものではなく、ニセモノがホンモノになったり、ホンモノがニセモノ化したりするのだという生徒の感想にもわが意を得た思いだった。

「思想の商品化」に触れて、大宅壮一と久野収について語ったインタビューでも、問題意識は同じである。

結局「経済学入門」は「哲学入門」でなければならないのであり、「哲学」なき「経済学」は単に数字の操作術にしかならないだろう。

竹中平蔵の『みんなの経済学』とか『あしたの経済学』とかがベストセラーになっているが、これこそ、「哲学」なき「経済学」の見本であり、こんな本が読まれている限り、日本経済、いや、日本に「あす」はない。

竹中のような〝内閣の側用人〟は、ミクロの問題についてはマクロを語り、マクロについてはミクロの例を引いて、はぐらかすのである。

彼らは、経済はむずかしいものだと主張したがるが、経済とは暮らしのことであり、それを守るかどうかは、むずかしいことではない。むずかしいと言って、一般の人に口出しさせないようにするのが、彼らの手なのである〉

この「あとがき」はもっと続くが、ここらで打ち切ろう。六平は岩国で反戦喫茶「ほびっと」をやっていた。

●内田雅敏『元徴用工　和解への道』（ちくま新書）
『日刊ゲンダイ』のオススメ本へ。

●佐高信『佐高信の徹底抗戦』（旬報社）

九日、この本の見本完成。

●遠藤展子『藤沢周平　遺された手帳』（文春文庫）

娘が注釈をつけたこの本に、妻に死なれて「狂いだすほどの寂しさが腹にこたえる」といった記述が……。「思う存分泣く」ともある。

驚いたのは、清瀬の武谷病院に行って「まるで日本人みたいな外人」の武谷先生の診察を受けていること。藤沢さんは大泉学園に住んでいたから不思議はない。

「武谷先生」とは武谷三男夫人のピニロピさんである。私も清瀬に住んでいたころ診てもらったことがあるが、コワイ感じだった。

武谷三男の親友のわが師、久野収が目の病気で入院したこともある。

藤沢作品をドラマ化したプロデューサーの石井ふく子が吹浦に疎開していたというのも発見だった。石井は藤沢の一歳上で、同じような時に、藤沢と同じようにそこで代用教員をしていたのだとか。

●山口文憲編『やってよかった東京五輪』（新潮文庫）

一九日が湘南朝日カルチャーセンターの講義。二六日が千葉で同じ朝カル。

●落合貴之『民政立国論』（白順社）

立憲民主党の注目していきたい政治家である。

●今野敏『棲月』（新潮文庫）

竹中平蔵を祭り上げた五人の男

（二〇二〇年一〇月）

●北河賢三、黒川みどり編著『戦中・戦後の経験と戦後思想』（現代史料出版）

「市民の哲学者、久野収の成り立ち」を興味深く読む。筆者の北河さんからの献呈本。

六日、デモクラシータイムズの「3ジジ放談」。今回から生放送になる。平野貞夫、早野透、そして私の「ジジ放談」はけっこう評判がいいらしい。ユーチューブで見られる。

●辻元清美「国対委員長」（集英社新書）

『日刊ゲンダイ』のオススメ本へ。

〈これは裏方の立憲民主党国会対策委員長としての活動録だが、辻元にはやはり表舞台での質問こそがふさわしい。

二〇一五年に安全保障法制という名の戦争法が問題となった。これは憲法違反だと九割の憲法学者が主張していた。

衆議院の予算委員会で辻元は、官房長官だった菅義偉が会見で「合憲だとする憲法学者もたくさんいる」と言ったことについて、「『安保法制は合憲である』と言っている憲法学者の名前は？」と尋ねた。すると菅は三人の名前しか挙げられなかったのである。

それでも未練がましく、「数じゃないと思いますよ。これはやはり、私たちは、最高裁、まさに憲法の番人は最高裁でありますから」と意味不明の強弁をした。菅はまた、「大事なのは、憲法学者はどの方が多数派だとか少数派だとか、そういうことではない」とも答弁している。これを、日本学術会議の任命拒否問題、さらには窃盗罪で東洋大学教授をクビになった髙橋洋一を内閣官房参与にした一件を重ねてみると、菅の正体がよく見える。

要するに、政府に批判的な学者は排除し、利用できる学者もどきは、たとえドロボーであっても抜擢《ばってき》するのである。素行より思想を問題にするのだ。この対比を辻元にぜひ質問してもらいたい。

国対委員長として辻元がどんな苦労をしたか。それがこの本で詳細に語られているのだが、自民党の劣化が深刻化して、そもそもの国会のイロハを知らないために、そのイロハのところから辻元はがんばらなければならなかった。

たとえば二〇一七年秋、加計学園問題などで疑惑の追及を避けるため、自民党は議席数に応じて与党への質問時間を増やすよう要求した。民主党政権の時には、野党だった自民党などの要求によって「与党二、野党八」となっていたのに、「与野党五対五にしない限り、予算委の閉会中審査に応じない」と主張し、官房長官の菅も「議席数に応じるのは国民からすればもっともだ」と会見で後押しする始末。これには自民党国対委員長、森山裕の派閥の顧問、山崎拓も呆れて、「国会の長い歴史の中で、与党に質問時間を半分よこせ、などという話は一度もなかった。安倍総理はよっぽど疑惑追及されるのが嫌なのか、自信がないのか。総理大臣として野党の質問を堂々と受けて立たなければ」と言ったという〉。

●小野耕資『筆一本で権力と闘った陸羯南』（K&Kプレス）

『月刊日本』連載。頼まれて次の推薦文を寄せる。

「弱者に涙して強者を撃つ、反骨の言論人を活写した熱書を推す！」

ずいぶん若い筆者が羯南に興味を持って書いた。

一三日は横浜の関内ホールで「菅義偉一〇の大罪」という講演。

一四日、『朝日』の小泉信一記者の取材を受けて、田村泰次郎の『肉体の門』について語る。

一一月四日付の同紙掲載。

●落合恵子『明るい覚悟』（朝日新聞出版）

和田誠さんの次の話に強くうなずく。

「ここに、とても完成度が高いポスターがあるとするね」と、和田さんは若き日の落合さんに話し始めたという。

「そのポスターに関しては、誰もが称賛し、誰もが足を止めるとしよう。芸術的にもとても優れたポスターだ。けれど、そのポスターが、兵隊さんになろう、お国のために尽くそう、という内容だったら……。そして、そのポスターを見たひとりが、本当に兵隊さんになってしまったら……。優れているがゆえに余計、罪深いと言えないだろうか」

これはそのまま、軍歌を数多く作曲した古関裕而批判になる。誰への、何のための「エール」なのかということだ。

そして和田さんは、どんなに条件がいい仕事でも、そういう類いの仕事はしない、と言ったという。

●志垣民郎著、岸俊光編『内閣調査室秘録』(文春新書)

崩されていく〝知識人〟たち……。

●村山由佳『風は西から』(幻冬舎文庫)

二一日、村山さんと『俳句界』の対談。エッセイストの朴慶南さんに紹介してもらい、事前にこのワタミ批判の小説を読む。優れた経済小説と言ってもいい。

二二日付『東京新聞』に、井出孫六さんの追悼文掲載。共同通信から頼まれた。柳田さんに感謝である。

〈三木(武夫)内閣の官房長官だった井出一太郎を長兄に末弟の孫六まで、男兄弟六人が育った長野県佐久の造り酒屋、井出家の座敷には、中江兆民の「民重きを為す」という扁額が掲げられていた。自由民権運動を担った地方名望家らしい逸話だろう。ちなみに長姉が評論家となった丸岡秀子であり、三兄の武三郎は共同通信の論説委員長だった。

現佐久市長で一太郎の息子の正一の葬儀委員長を務めた柳田清二が孫六の原体験を語る。

足もとの長野や佐久から埋もれた歴史を掘り起こした孫六の仕事の核にその体験があるというのである。柳田は孫六から直かにそれを聞いた。

敗戦三日後の八月一八日午前七時半、佐久の中学校に、特攻隊の三式戦闘機が飛来した。操縦している者の飛行帽とゴーグル、そして白いマフラーが見える。彼は風防ガラスの内側で、大声で何か叫んでいる。何度か旋回を繰り返し、翼を二度大きく振った後に北へ向けて飛び去った。その人は旧制野沢中学の孫六の先輩で、生家の上でも旋回した後、小学校の庭に遺品を投じ、浅間の噴火口に自爆したことを数日後の新聞で知った。

当時、孫六は一四歳になる直前だった。

『秩父困民党群像』や『抵抗の新聞人桐生悠々』は、いずれも、底に歴史とは何なのかという問いを秘めている。強烈な火傷《やけど》のようにそれは孫六の中で消えないものとして残った。

飢え乾くように知識を求め、本をもっともっと読みたいと思っていた少年時代、孫六は戦争に時間を奪われた。戦争という歴史にと言い換えてもいい。

学徒動員で本のかわりに鎌を持たされ、草刈りをさせられた。その時、誤って左手の親指のつけ根を傷つけた。それほど深くはないが、その傷痕が七〇年経っても消えない。

それを見るたびに、くやしさと切なさがこみあげてくるのである。

孫六に大佛次郎賞を受けた『終わりなき旅』という作品がある。当時の大日本帝国が推進して「満州開拓団」が組織され、敗戦という結果によって「中国残留孤児」が生まれた。

長野県が断トツの移民送出県だったが、いわゆる残留孤児は自らの意思で「残り留まった」わけではない。国家によって置き去りにされたのである。たとえば、ある家族は敗戦によって離れ離れとなり、夫は病死し、妻は栄養失調死した。当時二〇歳の長女は昭和二〇年一〇月七日に「自決」している。

まさに「この世の生地獄ともいうべき凄惨な絵巻」を孫六は黙々と歩き続けて掘り起こした。前記の家族は孫六とほぼ同い年の次女だけが生き残ったというが、それだけに他人事ではなかっただろう。

異論も受け入れて自分の主張をする孫六は、最期まで自分のペースを守って亡くなった〉。

●田中優子『苦海・浄土・日本』（集英社新書）

石牟礼道子論だが、石牟礼さんのちょっと巫女的なところが気にかかる。二七日、田中さんと対談。

●望月衣塑子、佐高信『なぜ日本のジャーナリズムは崩壊したのか』（講談社＋α新書）

三万部突破。なぜ売れているのか、そのヒミツをと考えて再読。

●佐高信『竹中平蔵への退場勧告《レッドカード》』（旬報社）

菅が首相になって、この男がまた、のさばってきた。竹中を守る五人のキーパーソンとして、小泉純一郎、菅義偉、宮内義彦、橋下徹、佐藤優を挙げる。醜悪なり。

●古賀茂明『日本を壊した霞が関の弱い人たち』（集英社）

古賀さんとのデモクラシータイムズでの、対談が大評判。平凡社新書で出す予定だが、活字になると、どうなるか。

●村山由佳『星々の舟』（文春文庫）

さすが、直木賞受賞作。候補になって一発で受賞したらしい。

●村山由佳『風よあらしよ』（集英社）

伊藤野枝についてのノンフィクション・ノベル。大部なこれをあわただしく読んだが、引きつけられる。

●古谷経衡『毒親と絶縁する』（集英社新書）

ウーン。読み進めさせられるのだが、割り切れなさが読後に残る。

●佐高信『佐高信の徹底抗戦』（旬報社）

『週刊朝日』の一一月六日号に載った次のＰＲ文。旬報社の筆うまし。

〈著者自身が発行するメルマガなどを中心に二〇一六〜二〇二〇年に書いた文章をまとめた。電通や日産のタブーを暴き、東京新聞・望月記者を排除する記者会見を断罪。さらにはＮＨＫ朝ドラの古関裕而から思想家の内田樹にいたるまで、縦横無尽に「筆刀両断」。〝公正中立〟に逃げるなという著者の面目躍如たる一冊だ。かつて「ヘンなこと書いたら殺す」と脅してきた総会屋と二〇年ぶりに再会し、彼が涙ながらに語る政財界の闇など、なかなかほかでは聞けない話も並ぶ。印象的な一節がある。「半信半疑」という言葉について、「半分疑っているということは信じていないということだ」というむのたけじの話を紹介。「そうした、いわばアイマイ病が安倍や小池百合子の存続を許してきた」と続ける。易きに流されがちな身には耳が痛いが、胸に刻みたい言葉である〉

三一日、新宿で朝日カルチャーセンターの講義。

おわりに――佐藤優の地金

ある新右翼の運動の機関紙から電話がかかってきて、「佐藤優を批判してくれ」と言う。インタビューを引き受けて、「佐藤の四悪」というメモをつくった。創価学会、鈴木宗男、竹中平蔵との癒着と原発推進の四悪である。

私は佐藤を〝雑学クイズ王〟と言っている。驚くべき博識だが、それは受験勉強的で理念や思想の裏づけがない。しかし、その知識の量にイカれて、たとえば『朝日』の優等生記者は手放しの礼讃のインタビューをしていた。彼女は二〇二一年一月一〇日付の『産経』で佐藤が次のように書いているのをどう読むのだろうか？

「発足当初は国民的人気が高かった菅政権だが、内閣支持率の急落を見て政治家や有識者が急速に菅氏から距離を置こうとしている。だが、このような態度は見苦しい。筆者は外務官僚だった。官僚は民主的手続きによって選出された時の首相を全力で支える。コロナ禍の危機に直面して、筆者の地金が出てきたようだ。筆者は民主的手続きによって選出された菅義偉首相を支持し、応援する」

佐藤は池上彰との共著『知らなきゃよかった』（文春新書）では、こう言っていた。

「彼はすご腕官房長官のように見られているかもしれませんが、基本はゴリ押し一本ですから。バッターボックスに立ちさえすれば、三振でもいいという、そういう感じ。沖縄問題を見れば分かりますよ。引くことができない人なんです」

発足当初から菅を批判し、昨年末に『総理大臣 菅義偉の大罪』（河出書房新社）を出した私とはやはり正反対の位置に立つということだろう。

佐藤の地金が、それこそどんなに「見苦しい」か。佐藤も最初は殊勝に反省していたが、居直ることに決めたわけである。

佐藤の『国家の罠』（新潮文庫）がベストセラーになったとき、私は『週刊金曜日』の「読んではいけない」というコーナーで、佐藤が守ったのは「国益」ではなく「省益」だと批判し、次のように続けた。

「小泉（純一郎）政権の誕生により、日本人の排外主義的ナショナリズムが急速に強まった、と著者は書く。しかし、それは小泉だけの責任ではなく、憲法の掲げる平和主義に基づく外交を積極的に展開してこなかった外務官僚の責任でもある。国連の安全保障理事会の常任理事国になりたがり、そのことは必然的に核を保有することにつながるのを隠して大国主義をあおったのも彼らの責任だろう。著者はやはり、外務官僚であり、簡単に省益と国益をイコールで結んでいる。外務省は田中（真紀子）外相が乗り込むまでは〝（鈴木）ムネオ省〟だった。それを正常と言い切る著者のこの本は、外務官僚の怠惰と腐敗、もしくは無能と卑屈を覆い隠す働きをしてしまうのではないかと憂慮する」

これを佐藤は私との対話『喧嘩の勝ち方』（光文社）で、「佐高さんの批判が非常にありがたかった」と言ったのだが、〝地金〟に戻るということは、こうした批判を無視するということだろう。私はオバタカズユキに「批判するために会いたい」と言われて時間を割き、驚かれたが、わが師の久野収は「批判を大事にし、ほめ言葉をこそ警戒せよ」と教えた。ところで、冒頭の新右翼系運動紙だが、連絡がないので問い合わせてみたら、「そのうち」という苦渋の返答だった。佐藤と何かヤリトリがあったのかは知らない。ただ、いま、佐藤がある種のタブーになっていることは確かである。

『創』、『月刊社会民主』、『月刊ロジスティクス・ビジネス』、そして、まぐまぐのメルマガ「佐高信の筆刀両断」の連載などに新しい原稿を加えて再構成しました。

［著者紹介］佐高 信（さたか・まこと）

一九四五年、山形県酒田市生まれ。慶應義塾大学法学部卒業。高校教師、経済誌編集長を経て、評論家となる。
主な著書に、『佐高信の徹底抗戦』『竹中平蔵への退場勧告』（旬報社）、『なぜ日本のジャーナリズムは崩壊したのか（望月衣塑子との共著）』『どアホノミクスよ、お前はもう死んでいる（浜矩子との共著）』『偽りの保守・安倍晋三の正体（岸井成格との共著）』（講談社＋α新書）、『池田大作と宮本顕治』（平凡社新書）、『偽装、捏造、安倍晋三』（作品社）、『幹事長二階俊博の暗闘』『官房長官 菅義偉の陰謀』『総理大臣 菅義偉の大罪』（河出書房新社）、『国権と民権（早野透との共著）』『いま、なぜ魯迅か』（集英社新書）、『反-憲法改正論』（角川新書）など多数。

佐藤優というタブー

二〇二一年三月一〇日　初版第一刷発行
二〇二一年三月三〇日　第二刷発行

著者……………………佐高 信
装丁……………………佐藤篤司
発行者…………………木内洋育
発行所…………………株式会社 旬報社
〒一六二-〇〇四一 東京都新宿区早稲田鶴巻町五四四
TEL 03-5579-8973　FAX 03-5579-8975
ホームページ http://www.junposha.com/

印刷・製本……………中央精版印刷 株式会社

©Makoto Sataka 2021, Printed in Japan
ISBN978-4-8451-1681-2

【佐高 信シリーズ】

佐高信の徹底抗戦

呼吸をするようにウソをつく
安倍や小池のデタラメで無責任な強権政治に対峙せよ！
ありえないと思ってあきらめず、それをありうるかもしれないと
思わせる激越さが徹底抗戦の思想の原点である。

四六判並製／二〇〇頁／定価（本体一五〇〇円＋税）
ISBN978-4-8451-1649-2

竹中平蔵への退場勧告

国民に「自己責任」を押しつける菅首相の背後にあるのは、
弱肉強食のジャングルの自由に戻そうとする
竹中〝新自由主義改革〟だ！
学問を商売にする〝学商〟の一刻も早い退場を願って緊急出版する！

四六判並製／一五五頁／定価（本体一三〇〇円＋税）
ISBN978-4-8451-1660-7

旬報社